KAWADE
夢文庫

大阪 京都 兵庫 奈良 滋賀 和歌山

関西2府4県 キャラも違えば 常識もバラバラ。

博学こだわり倶楽部[編]

河出書房新社

「関西人＝いわゆる大阪人」ではない。多彩で多様な関西の実像が明らかに！――前書き

「関西人は面白い、というと喜ぶ」

「関西人はケチでお金にシビア」

そんな声を耳にすることは多いですが、それがすべての関西人に当てはまるのかというと、必ずしもそうではありません。

メディアなどで広まっているイメージの大半は、大阪人に対するもの。ただ、大阪人だからといって誰もが「面白いけどケチ」というわけではないのです。

では、ひとくくりにされてしまうことの多い「関西人」とは、いったい何者なのか。そもそも関西とは、どんなところなのか。その特徴をつぶさに解説・紹介したのが本書です。誤解を解き、真実の関西を知ってもらい、そのうえでイメージどおりなのか、そうではないのかを判断してください。

なお、本書の内容は一般論であり、地域や世代などによって当然、違いがあることをご理解ください。また、すこし大げさな表現に感じられる箇所もあるかもしれませんが、ご容赦《ようしゃ》願います。

博学こだわり倶楽部

1　こんなに違う！2府4県それぞれのお国柄

たとえば——〝千年の都〟だった京都の意外な常識

❷ けっこうエグい?! 2府4県の相関関係

たとえば――
京都vs大阪 互いに、どんな目で見ている？

③ 2府4県の気質を比べてみた！

たとえば──外国人に対してフレンドリーな関西人といえば？

④ 驚きの2府4県ローカルルール

たとえば──結婚にまつわる各府県のユニークな風習とは

5 たとえば──「関西人は派手好き」は間違っている？

2府4県民のリアルを突く！

⑥ 微妙に変化する！2府4県の関西弁

たとえば――滋賀県には「ほっこり」したい人はいない？

⑦ 気になる2府4県ご自慢のグルメ

たとえば——「ぼっかけ」「おばんざい」の正しい意味は？

⑧ 格差が激しい?! 2府4県の交通事情

たとえば――
滋賀県では全長66mの路面電車が走っている

⑨ 知られざる2府4県の文化と歴史

たとえば――
古墳の数、兵庫県が関西一である謎

カバーイラスト●utatatata/PIXTA
本文イラスト●小島サエキチ
地図版作成●原田弘和
協力●オフィステイクオー

1 こんなに違う！2府4県それぞれのお国柄

たとえば——

“千年の都”だった京都の意外な常識

Kansai

「関西」と「近畿」は、同じ？違う？

「関西弁」や「関西地方」のように、大阪府や京都府、兵庫県などを含む地域は「関西」と呼ばれる。だが、そもそも関西とは、現在の三重県にあった鈴鹿関《すずかのせき》、岐阜県の不破関《ふわのせき》、愛発関《あらちのせき》から東を指す「関東」の対義語である。

これらの関所は都を守るために設けられたもので「三関《さんかん》」とも総称された。7世紀後半から8世紀初頭にかけて設置され、有事の際には閉ざされて都への交通を遮断したのだ。

平安時代になると愛発関が廃されて逢坂関《おうさかのせき》（滋賀県）が置かれ、それより西はすべて関西と認識された。つまり、関西も関東も現在のような一地域の呼称ではなく、西日本や東日本全域のことを意味したのだ。関西が今のエリアを指す地域名として使われるようになったのは、江戸時代以降とされている。

関西と同じような地域を意味するのが「近畿」だ。近畿日本鉄道、近畿大学といった企業や学校、近畿財務局、近畿運輸局など国の出先機関でも名称として使われている。近畿とは、文字どおり「畿内の近く」という意味。畿内は山城国《やましろのくに》（現京都府の一部）、大和国《やまとのくに》（現奈良県）、摂津国《せっつのくに》（現大阪府と兵庫県の一部）、河内国《かわちのくに》（現大阪府の一部）、和泉国《いずみのくに》（同）の5国をいい、そのほかの国は東山道、東海道、北陸道、南海道、山陽道、山陰道、西海道の「七道《しちどう》」に属した。

明治時代になると、かつての畿内にあたる大阪府、京都府、奈良県、兵庫県に隣接する滋賀県、和歌山県、三重県が「近畿」とされ、地域名として近畿地方と呼ばれるようになったのだ。

ただ、近畿弁、近畿人、近畿風味という言葉が使われないように、地域の人は近畿ではなく関西を多く使う。「どちらから来られました？」とたずねられて、「関西方面です」という人はいても「近畿からです」という人は、まずいない。

しかし、行政の機関や区分は別だ。先に挙げた財務省の近畿財務局と国土交通省の近畿運輸局のほかに、農林水産省の近畿農政局、厚生労働省の近畿厚生局、警察庁の近畿管区警察局など軒並み「近畿」である。

関東と関西を分ける三関

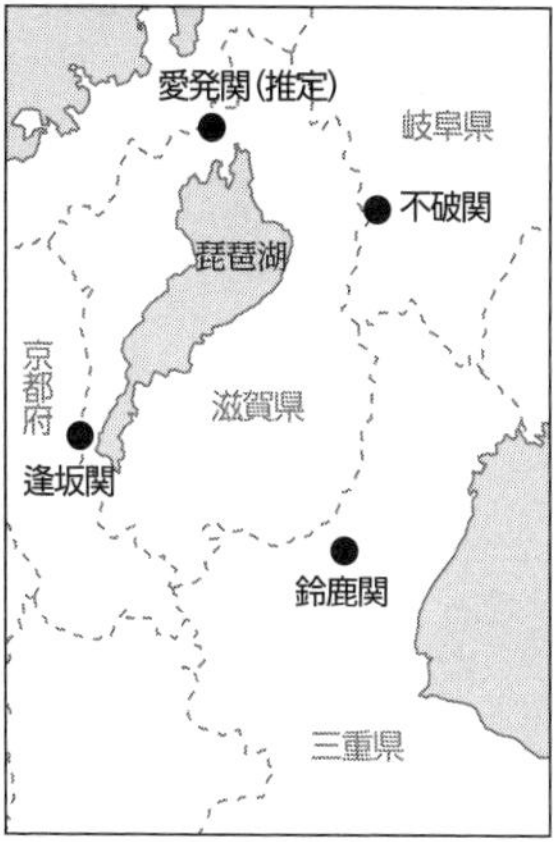

弁護士会や税理士会も近畿弁護士会連合会と近畿税理士会、首都圏に対しては近畿圏であり、宝くじも近畿宝くじだ。すなわち、民間では関西が一般的だが、公的には近畿が使用される例が多い。

ちなみに出先機関の英語表記は「Ｋｉｎｋｉ」ではなく「Ｋａｎｓａｉ」としているところが多い。

これは、「近畿よりも関西のほうが外国人に馴染みがある」「Ｋｉｎｋｙには、『ねじれた』や『変態』といった意味がある」というところが理由だとされ、近畿大学も２０１６年から英語表記を「KINKI UNIVERSITY」から「KINDAI UNIVERSITY」に変更している。

Kansai

大阪が商人の町として発展したヒミツ

「大阪平野は、ほとんどが海だった」と聞けば、驚く人も多いだろう。しかし、約５５００年前の大阪平野は「河内湾《かわちわん》」という内海で、約２０００年前に河内湾は海と切り離された「河内潟《がた》」となり、さらに数百年かけて淡水湖の「河内湖」へと変化していった。

やがて淀川や大和川などによる土砂の流入で土地は広がったものの、その多くは湿地帯。福島や都島のように、大阪都心に「島」の付く地名が多いのは、かつてその場所が水に囲まれていた名残である。

そんな河内湖に半島のように突き出ていたのが上町台地で、6世紀の終わり頃を創建とする四天王寺や7世紀中頃に建てられた難波宮《なにわのみや》も、この台地上に建てられている。

また、1533年創建の浄土真宗本山「石山本願寺」も上町台地に位置し、石山本願寺が火災で焼失した跡地に豊臣秀吉によって建てられたのが大坂城だ。

そんな「水だらけ」の大坂（大阪）ではあったが、瀬戸内海に面した天然の良港でもあった。港は「難波津《なにわづ》」と呼ばれ、西国や朝鮮半島、中国大陸から運び込まれた荷物は難波津から大和や京都の都に運ばれた。

中世になると、東南アジア方面からの物資も届く大集積地として発展。各藩の年貢米や特産物を保管・販売するための「蔵屋敷」も大坂市中に建てられ、日本随一の商業都市となる。これが「商人の町・大坂」の始まりなのだ。

そんな大阪だが、「市」ではなく「府」という範囲で成り立ちを見ると、他府県にはない特徴が多い。まず1つは、大阪府は3つの「国」で構成されているという

関西地方の旧国名

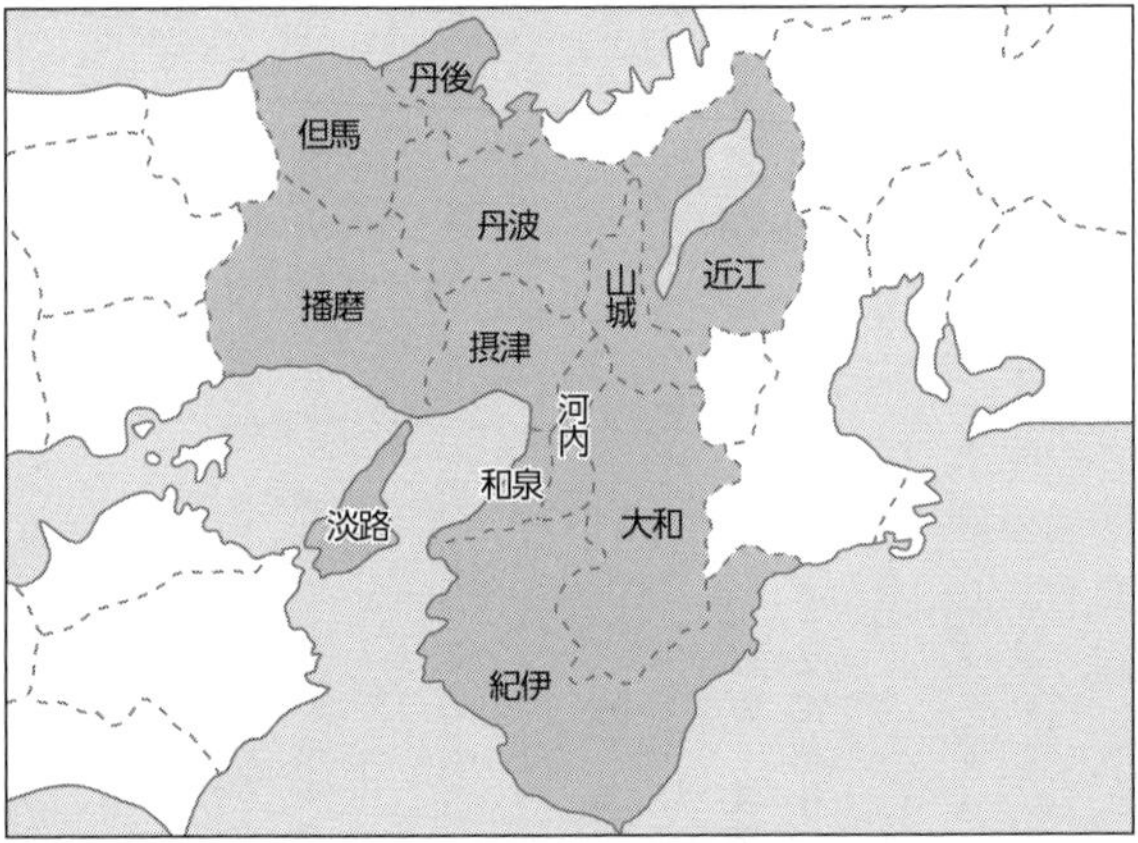

ことだ。1つは摂津国、もう1つは河内国、そして和泉国。いくつかの国で区分される都道府県はほかにもあるが、大阪府は香川県に次いで狭い。

国が違えば住民の「お国柄」も変わる。すなわち、全国で46番目という面積であるにもかかわらず、府民の気質は大きく3分割されてしまう。

さらに、江戸時代の大坂には大きな藩がなかった。幕末まで残ったなかで岸和田藩は5万3000石、高槻《たかつき》藩は3万6000石、あとは1万石程度の小藩があるのみ。府下全域を治めた藩はない。

地形も山間部があり、平野があり、海もあり、商業だけではなく農業や林業、水産業といった、府民はそれぞれの土地に適した職業に従事する。これらの理由から、「これぞ大阪人！」といえる統一的な気質は乏しいといえよう。

Kansai

〝千年の都〟だった京都の意外な常識

「京都に海はおへんえ」という京都人がいる。「いやいや、舞鶴や宮津に海はあるじゃない」と指摘する向きもあるだろうが、生粋《きっすい》の京都人と自負する人は海があるなんて認めない。それどころか、「京都といえるのは上京《かみぎょう》区・中京《なかぎょう》区・下京《しもぎょう》区だけ」と言い張る人も少なからず存在する。

また、東京が日本の首都だと認めていない頑固な人もいて、「天皇はんは東京にお貸ししてるだけどす」という意識が、未だに残っているという。

「京都」や「京」は平安京のことであり、都のエリアを「洛中《らくちゆう》」ともいう。洛中の「洛」は中国で都が置かれた洛陽のことで、現在の「上京・中京・下京区」を指す。それ以外の区は京都市であっても、京都ではないと言い張る根拠だ。

すなわち京都には、「府」と「市」のほかに「旧洛中」というエリアも存在し、ここに住む人だけを京都人だとする。

京都市域や宇治市などの隣接地域はぎりぎり京都だとしても、それ以外は認識していない。「京都には海がない」とするゆえんである。

ただ、飛鳥《あすか》時代や奈良時代の京都は、大和や難波の都から遠く離れたへき地でしかなかった。急変するのが平安京の築造だ。７９４年に平安京が築かれると、その後は日本の首都でありつづけた。

政治の中心が鎌倉や大坂、江戸に移ったとしても、皇居があるかぎり日本の首都であることに変わりはない。しかも、都だった期間は１０００年以上。日本中のどこを探しても、そんな場所はない。

市から府へ視点を移すと、京都府は山城国、丹後国《たんごのくに》の全域と丹波国《たんばのくに》の一部から構成される。山城国は京都市から府南部、舞鶴市や宮津市などの日本海側が丹後国で、亀岡市や福知山市などが丹波国に当たる。江戸時代、京都府におかれた藩は10万2０００石の淀藩、７万石の宮津藩のほか、丹波亀山藩、福知山藩、園部藩、田辺藩など多岐にわたる。

全国31位の府域に3つの国と多くの藩が存在していたこともあり、大阪府同様、住民気質には違いがある。

とはいえ、何といっても国の中心が置かれた場所の近接地だ。多少の差異はあったとしても、少なからず京都洛中の影響は受けている。上中下京区民が洛中意識を強くアピールしても、「まあ、しかたないやろ」という態度で受け止める。

京都市内に核があり、それを取り巻くエリアがあり、さらに周辺地域がある。この3重構造で、京都府は成り立っているのだ。

Kansai

神戸の発展を後押しした大物政治家とは

兵庫県の面積は約8400平方キロと全国で12位、近畿地方ではトップに位置する。ちなみに、三重県をふくんだ近畿の面積は約3万3000平方キロなので、約4分の1を兵庫県が占めることになる。

そんな広大な県域をもつ兵庫は、摂津国と丹波国の一部と播磨国《はりまのくに》、但馬国《たじまのくに》、淡路《あわじの》国《くに》と5つの国で構成されている。

さらに15万石の姫路藩、8万石の明石藩、6万石の篠山《ささやま》藩など、幕末まで存続した藩は16にのぼり、幕府直轄領（天領《てんりょう》）や旗本領、公家領、寺社領などをふくめると130を超える領主によって治められていた。

今でこそ兵庫県の中心は神戸市だと捉えられがちだが、神戸自体の発展は186

8年の開港から。それまでは砂浜のひろがる寒村でしかなかった。

一方、神戸の西隣には「兵庫」という村があり、ここは平安時代末期に「大輪田泊《おおわだのとまり》」という貿易港が置かれ、江戸時代には天領となるなどして全国有数の港町として栄えていた。そもそもは兵庫が開港地となる予定だったが、住民や既存施設の混乱を避けるため神戸に変更。港湾施設が整えられ、外国人居留地も設けられて神戸は兵庫を凌駕《りょうが》し現在に至っている。

兵庫県が今の形になるのには紆余曲折《うよきょくせつ》を経ている。1871年に廃藩置県《はいはんちけん》がおこなわれると、摂津国で大阪府域を除くエリアが兵庫県、播磨国全域が播磨県、但馬国、丹後国の全域と丹波国の一部が豊岡県となり、阿波国と淡路国が名東県《みょうとうけん》となる。そして4年後には播磨県の全域と豊岡県、名東県の一部が兵庫県と合併し、ほぼ現在の県域となるのだ。

このような経緯があった理由として伝わるのが、大久保利通《としみち》の考えだ。内務卿《きょう》という現在の内閣総理大臣の地位にあった大久保は、豊岡県と播磨県の合併が取りざたされた際、「開港場である兵庫県の力を充実させるように」と発言。面積が狭く、田畑の少ない兵庫県と比較的豊かだった他の県を合併させることで、神戸の発展に寄与させようとしたのだ。

こんな複雑な歴史をもち、六甲山系《ろっこうさん》などの山地をはさんで瀬戸内海から日本海まで本州を縦断し、淡路島という瀬戸内海最大の島も有する地形もともない、県民気質や文化は千差万別、多種多様だ。ひとくちに「兵庫県民」といっても、ひとくくりにはできないのが、最大の特徴といえよう。

Kansai

滋賀の県民文化は琵琶湖の東と西で違う！

奈良県の大和国、和歌山県の紀伊国《きいのくに》同様、1つの国で成り立っているのが滋賀県だ。かつての近江国《おうみのくに》であり、地方から都へ至る東海道、北陸道、中山道《なかせんどう》の三道が交わる交通の要衝《ようしょう》であった。

また、琵琶湖という巨大な水があって土地も肥沃《ひよく》。京都への距離も近いため、「近江を制する者は天下を制す」とまでいわれる。戦国時代には浅井長政、石田三成、蒲生氏郷《がもううじさと》、藤堂高虎《とうどうたかとら》らの戦国武将を輩出。織田信長が安土《あづち》城を構えたのは現在の近江八幡市安土町で、羽柴（豊臣）秀吉の長浜城は長浜市、明智光秀の坂本城も大津市に築かれた。

このように近江国は多くの人物が求めた土地であり、江戸時代には彦根藩、膳所《ぜぜ》藩や水口藩、大溝《おおみぞ》藩などの藩や、天領、旗本領、寺社領、他国の飛び地領などが入り交じる。なかでも西国の押さえとして入封した彦根藩の井伊家は、譜代《ふだい》筆頭の大名として近江国北部のほとんどを領有した。

このように、さまざまな領地が混在していたため、明治時代の廃藩置県では数多くの県が成立。これらが統合されて１つになるかと思いきや、残ったのは大津県と彦根県だった。したがって、近江国は琵琶湖の南西と北東で２つに分割されたのだ。

１８７２年、大津県は滋賀県に改称し、彦根県は長浜県を経て犬上《いぬかみ》県となる。やがて両県は統合されて滋賀県にまとまり、県庁所在地は大津となった。

ただ、当時は大津よりも彦根のほうが人口が多く、しかも南西の端にある大津よりも県域の中央に近い。そのうえ交通網も発達している。そのために起きたのが「県庁移転問題」だ。

１８９１年の滋賀県会（県議会の旧称）において、県庁を彦根町（当時）に移転させるという建議が出された。理由は、大津が県の南にあるため北部の県民に不便というものだ。この建議は通常県会を通過したものの政府の権限で県会は解散させられ、改めて県会議員選挙がおこなわれることになって立ち消えとなる。

しかし１９３６年になると県庁舎の改築にともない、今度は商工業者を中心に県庁舎移転期成同盟会の設立が進められる。彦根町長からも国に対して移転の陳情書が提出されたが、県議会では大津での改築案が可決され、移転問題は立ち消えとなった。

このような経緯もあり、大津を中心とする湖西・湖南と彦根を中心とする湖東・湖北にはライバル意識が少なからず存在する。

また文化の面においても多少の違いがある。琵琶湖が中心にデンと構えているために、東西の交流が乏しいというのも原因かもしれない。県域の6分の1を占める日本最大の湖は、県民意識にも大きな影響をあたえているのだ。

Kansai

奈良市の存在感がイマイチ薄いのは、なぜ？

京都は「いにしえの都」といわれる。確かに平安京に遷都《せんと》されたのは1200年以上も前のことなので、「古都」の名にふさわしい。しかし、1000年以上という歴史の流れを当たり前のように受け止めるのが奈良県民だ。なぜなら奈良県には、2000年クラスの伝統がゴロゴロと存在するからだ。

初代天皇である神武《じんむ》天皇が大和の畝傍《うねび》に宮を建てたのは、約2600年前とされている。ただし、これは史実とは考えられていないし神武天皇の実在も疑われている。それでも、その後の天皇の多くは県内に都をおき続けた。

また奈良県には3世紀代の古墳が多く、なかでも3世紀中期から後半に築造されたと推測される箸墓《はしはか》古墳は最古級の前方後円墳であり、近くには2世紀末から4世紀前半にかけて纏向《まきむく》遺跡がある。

ちなみに大阪府にある世界遺産の百舌鳥《もず》・古市《ふるいち》古墳群は4世紀後半から5世紀後半にかけての古墳群である。

ほかにも、日本最古の神社とされる大神《おおみわ》神社や大和神社、紀元前に創建されたと伝わる石上神宮《いそのかみじんぐう》などの古社があり、最古の道路とされる山の辺《やまのべ》の道も通る。6世紀から7世紀にかけては飛鳥地域が日本の中心となり、平城京に遷都されたのは710年だ。

このように「日本のふるさと」ともいえる奈良県は、全域が大和国だ。そして江戸時代の大和国は寺社や天領がほとんどで、大きな藩といえば郡山藩の15万石くらいのもの。それでも県内では、いくつかの地域で違いがある。

人口が全体の約4分の1を占め、県の中心であるはずの奈良市だが、最北端にあるために周辺への影響力は少ない。中部の三輪や橿原《かしはら》といった地域は、「奈良市より歴史がある」「大和朝廷発祥の地」という意識があり、「本来はこっちが奈良の中心」という自負がある。

県南部の吉野、十津川といった地域は江戸時代に地元武士らによる自治がおこなわれていたため、独立意識が強く独自の文化が根づいている。

さらに特徴的なのが、ニュータウンと呼ばれる地域の住民だ。特に生駒《いこま》市は近鉄奈良線の利便性もあって、ベッドタウンとして開発された。そのため新しい家が立ち並び、大阪市中心部への通勤率も県内でもっとも高く、いわゆる「奈良府民」が多い。加えて、天理市という宗教都市まで存在する。

同じ大和国でありながら、地域の特徴が大きく異なる。なかなか一筋縄ではいかない、というのが奈良県なのだ。

Kansai

近代の和歌山市は全国有数の大都市だった

紀伊国だけで成り立っていた和歌山県だが、7世紀半ばまでは県南東部と三重県南西部を範囲とする熊野国《くまののくに》も存在していた。そのため、紀伊国は和歌山県だけでなく三重県の一部もふくまれる。そして大和や近江と異なるのは、江戸時代の藩も1

つだけだったことだ。

紀伊国全般を治めた紀州藩は徳川御三家の1つで、石高は55万5000石。しかも、8代将軍吉宗と14代家茂《いえもち》を出した家柄だ。そして幕末の和歌山市の人口は9万人と、これは全国で6番目。近代の和歌山市は全国有数の都市だったのだ。

和歌山県の面積は約4700平方キロで、全国では30番目だが三重県を除いた近畿では2位。県域は紀北と紀南、もしくは紀北、紀中、紀南に地域分けされるが、1国1藩体制だったこともあり、県民の「お国柄」が大きく異なることはない。

和歌山が発展した理由は、紀州徳川家のおひざ元というだけではない。県内には高野山と熊野三山が位置し、それぞれに至る街道の整備で宿場町としても賑わった。加えて、日本最古級の温泉地である白浜のほかにも、龍神温泉、川湯温泉、湯《ゆ》の峰《みね》温泉などの名湯が点在。和歌山市内の和歌浦《わかのうら》は万葉集にも詠《よ》まれた名勝地であり、観光資源に事欠かない。

さらに、紀伊山地を利用した林業、太平洋や紀淡海峡《きたんかいきょう》の水産業にウメやミカンなどの果樹栽培といった農業も盛んだ。

戦前には大規模な軍需工場も建設され、リアス式海岸の入り組んだ地形が軍港として利用されたこともある。軍需以外の工場も多く建てられ、現在も花王の主力工場や日本製鉄の製鉄所が並び立っている。

このように産業が多様なため、地域によっては従事する人の割合で住民気質に多少の違いは見られるが大きくは異ならない。

ただし、現在の和歌山県の人口は約92万人で全国40位、近畿では最下位。公共交通のアクセスも不便で、道路網も整備されているとはいいがたい。紀北地域は大阪都心のベッドタウンとして開発されはしたものの、全体の人口は減るばかりだ。

そんな和歌山県は「近畿のお荷物」「近畿のオマケ」とも呼ばれている。これは決して他府県からの揶揄《やゆ》ではなく、自認している県民も少なくない言葉だ。V字

2府4県の成り立ちと特徴

府県名	旧国名	特　徴
大阪府	摂津国、河内国、和泉国	これぞ大阪人!という統一的な気質はなし。水の都。商人の街
京都府	山城国、丹後国、丹波国の一部	都とは平安京のこと。旧洛中エリアあり。日本の首都は東京だと認めない人もいる
兵庫県	摂津国、丹波国の一部、播磨国、但馬国、淡路国	県民気質や文化は千差万別。兵庫県民とひとくくりにできない
滋賀県	近江国	「近江を制する者は天下を制す」といわれた。湖西と湖東はライバル関係
奈良県	大和国	「日本のふるさと」的存在、県北部、中部、南部で意識の違いがある。奈良府民の存在も
和歌山県	紀伊国	徳川御三家の一つ紀州藩。高野山、熊野三山など、観光資源が豊富

回復はなかなか見込めそうにないが、地域の特色をいかして、今が踏ん張りどころというのが和歌山県の現状といえよう。

Kansai

三重県は関西か、それとも東海か？

関西の府県を「2府4県」ということがある。つまり、大阪、京都、兵庫、奈良、滋賀、和歌山である。ここで問題になるのが、「では、三重県は？」ということだ。

近畿とは畿内旧5国とそれに接した県の範囲だ。ならば、三重県は京都府（山城国）と奈良県（大和国）に隣接しているので近畿の範疇《はんちゅう》に入る。

実際、明治時代に近畿地方の範疇とされたのは、2府4県に三重県を加えた「2府5県」である。近畿と関西がほぼ同義語だとするのなら、三重県はれっきとした「関西」だ。

ところが、法令面になると話は違ってくる。近畿圏整備法で三重県は近畿圏とされているが、中部圏開発整備法と国土形成計画法のなかでは中部圏である。また、東京、名古屋、大阪の三都市を中心とした三大都市圏の概念でも、三重県は名古屋を中心とする中京圏にふくまれる。

行政面では、三重県知事は近畿ブロック知事会と中部圏知事会の両方に参画している。双方と隣接している関係から、どちらか一方だけでは正しい行政判断ができないから、というのがその理由だ。

行政機関での扱いかたもまちまちで、経済産業局、地方整備局などでは中部、農政局では東海だが、近畿中国森林管理局では近畿にふくまれる。

また三重県の公式サイトには「三重県は中部地方？ 近畿地方？」というページがあり、「結論からいえば、三重県は中部地方にも近畿地方にも属していると考えています」という見解を示している。

ただ、高校野球などの大会に三重県勢は東海大会に出場。そのほかにもブロック別の大会は、三重県を東海に分類することが多い。さらに中部の愛知県、静岡県、岐阜県をエリアとする東海地方に三重県が入ることも多く、「東海3県」は静岡を除いた愛知、岐阜、三重を指す場合もあり、この3県を略して「愛三岐《あいさんぎ》」という言葉もある。

中日新聞は愛知、岐阜、三重を主な発行地とし、テレビや新聞の報道や天気予報でも東海地方にふくめることが多い。

このように見ると、三重県は東海地方にシフトしている感がある。それには、三重県の人口分布も関係していると考えられる。県域は北勢、中勢、南勢、伊賀、東紀州に分類されるが、愛知県に接する北勢地域の人口は約82万人。三重県の総人口の約48パーセントを占める。中心の四日市市は県最大の都市であり、人口約31万人。県庁所在地である津市の約27万人を上回っているのだ。

県の半分近い人口を有する地域が愛知県に接し、大阪や京都よりも名古屋に近い。このような地理的要因もあり、三重県民は東海地方の一員だと見なされているのだろう。

2 けっこうエグい?!2府4県の相関関係

たとえば——
京都vs大阪 互いに、どんな目で見ている?

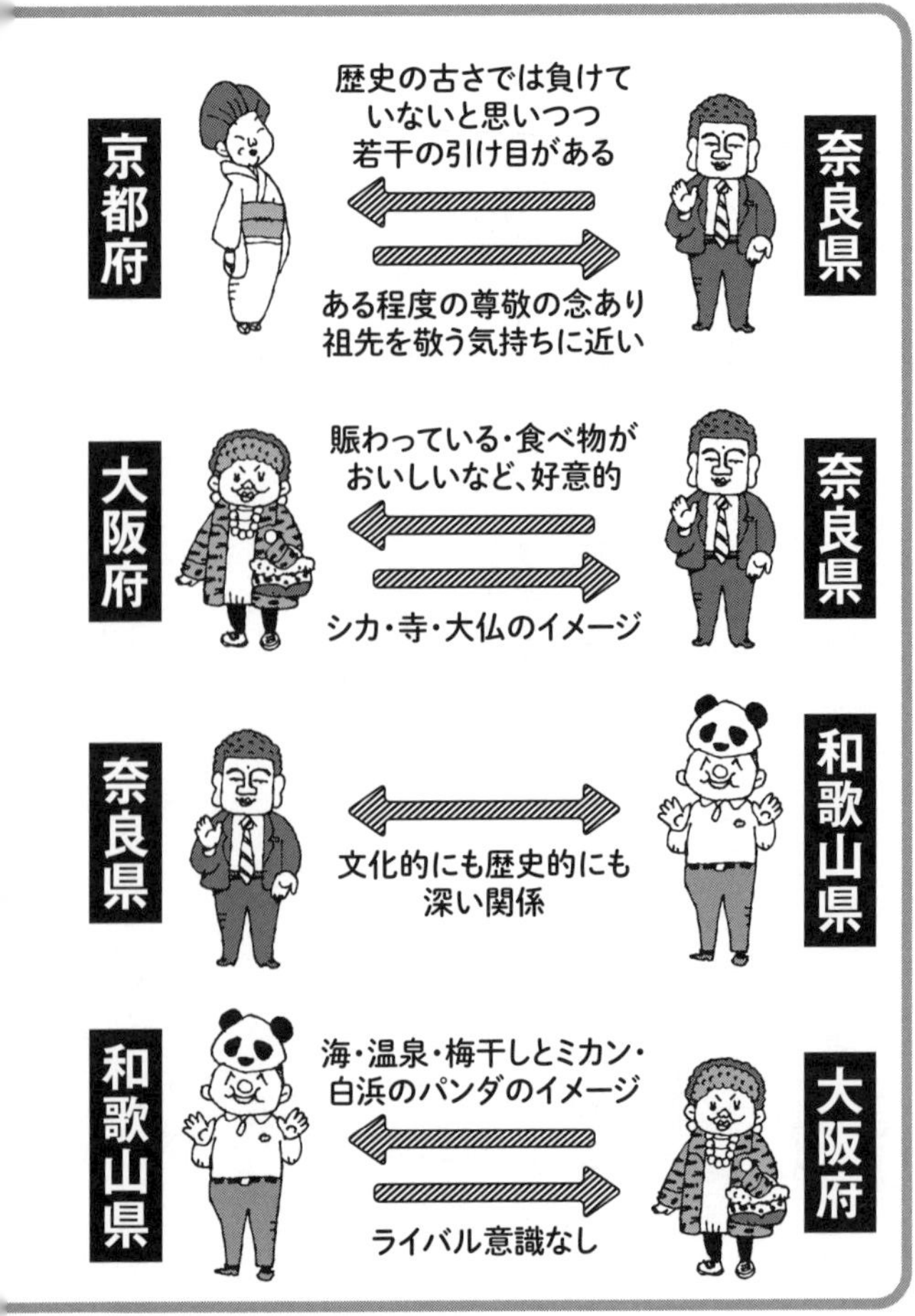
京都府
歴史の古さでは負けていないと思いつつ若干の引け目がある
ある程度の尊敬の念あり祖先を敬う気持ちに近い
奈良県
大阪府
賑わっている・食べ物がおいしいなど、好意的
シカ・寺・大仏のイメージ
奈良県
奈良県
文化的にも歴史的にも深い関係
和歌山県
和歌山県
海・温泉・梅干しとミカン・白浜のパンダのイメージ
ライバル意識なし
大阪府

2府4県のそれぞれのイメージ

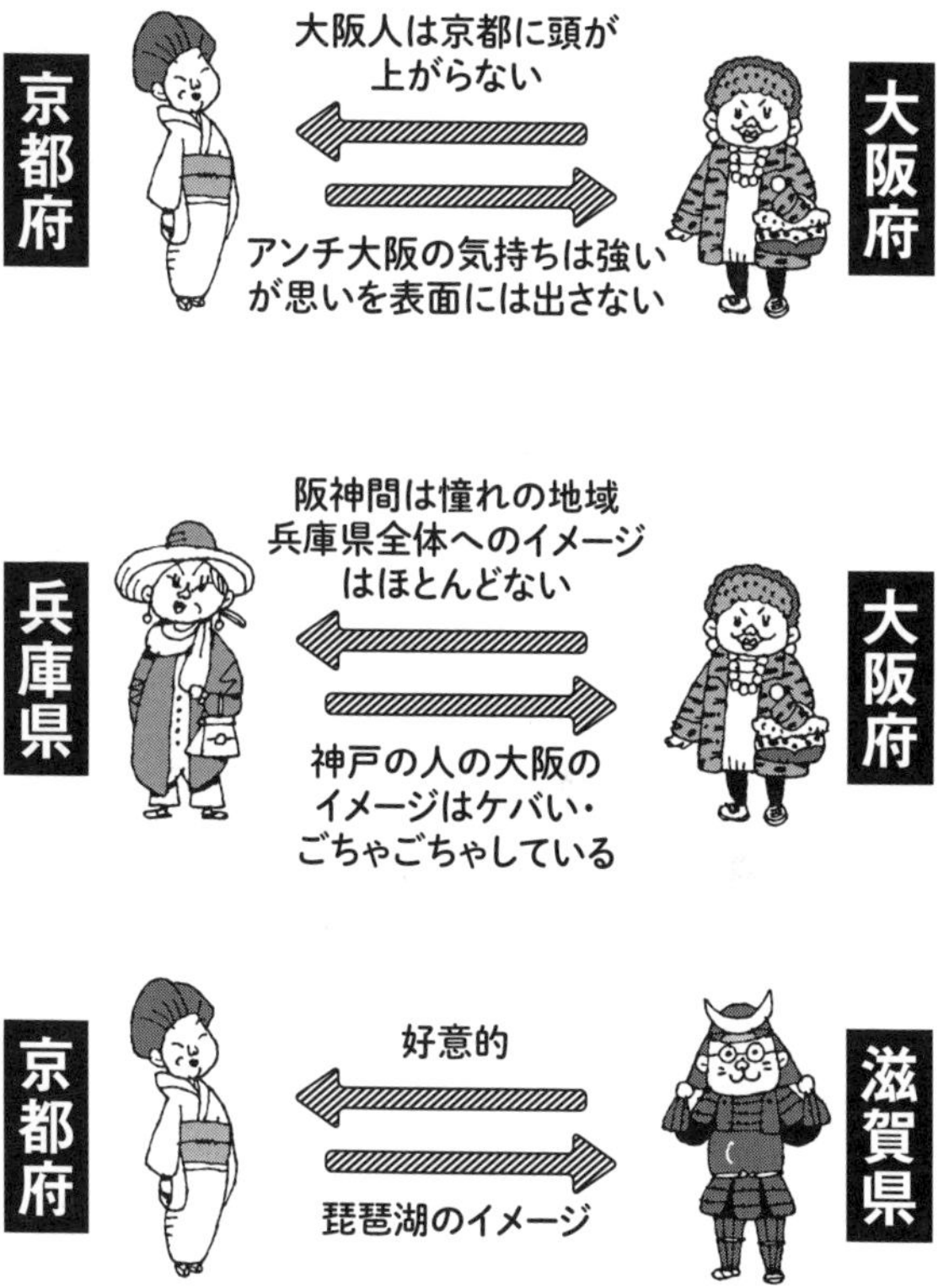
京都府
大阪人は京都に頭が
上がらない
アンチ大阪の気持ちは強い
が思いを表面には出さない
大阪府
兵庫県
阪神間は憧れの地域
兵庫県全体へのイメージ
はほとんどない
神戸の人の大阪の
イメージはケバい・
ごちゃごちゃしている
大阪府
京都府
好意的
琵琶湖のイメージ
滋賀県

※親分（京都府）と子分（滋賀県）の関係に似ている

Kansai

京都vs大阪　互いに、どんな目で見ている？

たとえ人口が神奈川県に抜かれたとしても、大阪府は全国で2番目だという自負を府民はもっている。ただ微妙なのは、決してトップではないという意識だ。それは、東京に対するものだけでなく、京都においても然《しか》りだ。

「じゃあ、大阪は全国でナンバー3じゃないの？」という声も聞こえてきそうだが、そこが先に記した「微妙」なところで、都市としては東京にかなわないが、文化や伝統という点では京都に勝てない。逆にいえば、都市としては京都に勝ち、伝統と文化は東京よりも勝っているという意識（意地？）だともいえる。

そもそも、経済都市としての発展を大阪（大坂）にもたらしたのは、大消費地であった京都に物資を運ぶ淀川水運の影響が大きい。この往来で淀川沿いの地域には京都の文化が色濃く浸透し、言葉も京都に似たものがある。大阪全体の方言にしても、京ことばを由来とするものは多い。

このような理由もあり、大阪人は京都に頭があがらない。「東京みたいなもん、なんぼのもんじゃい！」といきがっている人に「じゃあ、京都は？」とたずねれば、

「京都は……、まあ京都はねぇ」といいよどんでしまうことも多いのだ。

一方の京都人は、相手が東京であろうが大阪であろうが関係ない。京都は日本でも特別の地域であり、ほかの都道府県にライバル意識をもつことはない。それは京都市民のみならず、京都文化の影響を強く受けている府民も同じだ。

「どこのご出身ですか？」

「京都です」

そう答えられるのが、何よりのプライドだと信じている。

京都人にとっての東京都は、政治機能と皇族の住まいを委託している出張所のようなもの。片や大阪には「ごちゃごちゃしていて品がない」というイメージをもつ。住民気質にしても「大阪のお人は、なんか怖おすなぁ」との印象が強い。

それなのに、「関西の雄《ゆう》」とばかりの態度を示すのが気に入らない。端的にいえば、「京都を差しおいて偉そうな顔をするな」というところで、「アンチ大阪」という気持ちは強い。

ただし京都の人は、そんな思いを表面に出すことはない。大阪の印象を聞かれても、「大阪どすか？　人の多いとこどすなぁ」くらいの反応しか示さない。また、大阪人にとっては「京都は、たまに行くにはええけど、住むのはちょっと」と捉えるだけだ。この微妙な距離感が、京都と大阪の大きな関係性なのだ。

Kansai

兵庫vs大阪 互いに、どんな目で見ている？

大阪府民のなかには、「兵庫県」といわれてもピンとこない人が多い。特に距離のある南河内や泉州地域の住民は兵庫県と大阪府の境界があいまいで、伊丹市が大阪府、池田市が兵庫県だと思っている人も少なからずいる。

そんな人にとって兵庫県とは、尼崎から神戸の阪神間《はんしんかん》と明石・姫路市の周辺、三田《さんだ》や丹波篠山《たんばささやま》市あたりしか認識がない。豊岡市にある城崎《きのさき》温泉などは、「カニが名物やから山陰とちゃうの？」という人までいるほどだ。

このように、大阪人にとって兵庫県は阪神間、播州《ばんしゅう》地域と、それ以外に区分されてしまう。淡路島《あわじしま》にいたっては「淡路県」と呼びたくなるほどの別地域。そのため、兵庫県全体に対するイメージというものは、ほとんどもっていない。

大阪府民に「兵庫県のイメージは？」とたずねると「山があって海があって坂が多くてオシャレ」という答えが返ってくるかもしれないが、それは神戸・芦屋《あしや》・西宮のものであって兵庫県全体ではない。

兵庫県民の大阪に対する印象も居住地域で異なる。大阪から距離のあるエリアの人は、特別な対抗意識はもたない。「大阪＝都会」という程度である。ただ、「大阪と神戸のどちらが好きか」とたずねた場合、神戸に軍配があがる確率は高いが。

大阪府民のなかでも、大阪市民や豊中市民などの住民は阪神間にかなりの親近感をもつ。それは、もともとは同じ摂津国だったからだ。もしも大阪府が国を基準に区分されていたのなら、神戸市から高槻《たかつき》市、茨木《いばらき》市あたりまでが府内となる。

さらに大阪の梅田から神戸の三宮までは阪神、阪急、ＪＲの３路線で結ばれている。所要時間は約30分、自動車でも阪神高速を使えばすぐ。大阪府の北摂の人にとって阪神間は、泉州や南河内よりも身近なのだ。

そんな神戸をふくむ阪神間に大阪人はどんな印象を抱いているかというと、逆立《さかだ》ちしても勝てないほど洗練されていて、ファッションセンスに優れている、ということだ。もちろん、ライバル意識などもてるはずがない。憧れの地域でもあり、関西では「京都で学んで大阪で働き、神戸に住む」というのがステイタスでもある。

では、神戸人のほうはどうかというと、「ケバい」「乱暴」「ごちゃごちゃしている」という、ほとんど京都人のもつ大阪のイメージと同じだ。そんなことをいわれて大阪人が憤慨《ふんがい》するかというと、そんなことは全くない。

「まあ、神戸の人やし、しゃあないか」

そんなふうに納得してしまう。悲しいかな、ここでも大阪は完敗である。

Kansai

京都vs滋賀 互いに、どんな目で見ている?

京都と滋賀は、親分子分のような関係だということができる。もちろん親分は京都のほうだ。歴史的に見ると、近江国時代の滋賀は街道の要衝《ようしょう》として、また琵琶湖の水運によって経済的な発展を遂げた。ただ、陸運と水運によって運ばれる物資の行き先は京都だ。

比叡山延暦寺《ひえいざんえんりゃくじ》や園城寺《おんじょうじ》(三井寺《みいでら》)といった巨大寺院も、延暦寺は「王城鎮護《おうじょうちんご》」の役目を担っていたし、園城寺は8世紀の創建とされるが再興されたのは平安時代で、その後、皇族や貴族の信仰を集めた。もちろん、皇族貴族の本拠は京都であり、両寺のほかにも京都出身の皇族や公家が住職を務める「門跡《もんぜき》」も多い。

このような状況もあり、滋賀は京都の影響を強く受けている。特に距離の近い南西部は「京都文化圏」といえるほどだ。しかも県庁所在地の大津市は京都市と隣接していて、大津~京都間はJRだと10分足らずで到着してしまうし、京阪京津線《けいしんせん》なら京都地下鉄に直通。そのため大津市民はもちろん、滋賀県民の京都に対する印象は好意的だ。

一方、京都人の滋賀県にもつイメージは、ずばり琵琶湖。京都の繁華街で滋賀のイメージをたずねると、大半が「琵琶湖がある」とだけ答えるという。

琵琶湖からは、淀川水系を通じて京都府や大阪府に水道水や工業用水を供給している。そこでよくいわれるのが、滋賀県民が京都府民や大阪府民と口論になったとき、「ごちゃごちゃいうんやったら琵琶湖の水止めたろか！」というものだ。

実際、琵琶湖の水は京都・大阪のみならず、兵庫県にも飲み水として供給されていて、利用者数は約1500万人。つまり、滋賀県が水を止めれば、これだけの人が干上がってしまうのだ。しかし、滋賀県が琵琶湖の水を止めることはできない。

琵琶湖の水は、淀川の上流に当たる瀬田川と京都市が明治時代につくった琵琶湖疏水《そすい》（人工水路）から出水されている。瀬田川は瀬田川洗堰《あらいぜき》で水量を調整するが管《かん》轄《かつ》は国。琵琶湖疏水の取水口は京都市である。

そのため、滋賀県の判断で洗堰や疏水の取水口を閉じることはできない。さらに、もしも両方を閉じてしまえば、琵琶湖の水があふれ出して周辺は水没してしまう可能性もあるのだ。

そもそも琵琶湖疏水は、灌漑《かんがい》や上水道、水運のために京都市が造営したもの。ただし、疏水から引き入れた琵琶湖の水で発電もし、その電力で全国初の市電も走らせたので、京都の近代化に大きく寄与している。

つまり、京都市民は滋賀県に対して、大きな恩義があるわけだ。京都人は滋賀県に対して、もっと感謝したほうがいいかもしれない。

Kansai

京都vs奈良 互いに、どんな目で見ている？

奈良県の歴史は古い。「京都がいくら古いっていうても、しょせん1200年やん」という意識が、奈良県民には少なからずある。このように、奈良県民は京都に対するライバル意識を抱きがちだ。とはいえ、それはさほど強いものではなく、「確かに京都はええけど、奈良もええで」という控えめなものではある。その理由として挙げられるのは、都市としての規模だ。

奈良市と京都市だけを比べてみても、奈良市の人口は約35万人であるのに対し京都市は約140万人。4分の1である。京都駅には新幹線が停まり、多くのJR路線と近鉄が乗り入れて市内には地下鉄が整備され、阪急と京阪が大阪とつないでいる。片やＪＲの奈良駅に乗り入れている路線は、関西本線と桜井線だけ（奈良線と片町線の一部列車も乗り入れ）。全都道府県の県庁所在地で、唯一特急の停車がない駅だ。そのほかの鉄道路線といえば、近鉄だけとなっている。

観光面で比較しても、京都市内には１日で全部をまわり切れないほど観光名所が点在しているし、買い物や食事の店舗も充実。木屋町や祇園などには大人向けの店も多い。だが奈良市での観光は、奈良公園周辺でほとんど事足りてしまう。繁華街もエリアが狭く、閉店時間が早い。奈良市の宿泊者数、宿泊施設が少ないというのも、十分うなずける。

そんな状況もあって、奈良県民は京都と比較されたとき、若干の引け目を感じてしまう。

「歴史の古さでは負けてないんやけどなぁ」

そんな感じだろうか。

拍車をかけるのが「奈良府民」の存在だ。奈良府民とは奈良県在住で大阪府や京都府で働いたり、大学に通ったりする人のこと。近鉄奈良駅から京都駅へ行く場合、近鉄奈良線と京都線を乗り継いで約40分から50分。通えない距離ではない。

では、京都の人が奈良のことを、どう思っているかというと、ある程度の尊敬の念は抱いているらしい。それは勝ち負けの問題ではなく、いわば「祖先を敬う」という観念に等しい。

「奈良は京都に都がおかれる前の日本の中心やから」

「天皇はんの出身は、奈良県やし」

そんな思いから、奈良県には一目おいている。とはいえ、決して競うような立場だとは受け止めていない。やはり京都人にとってのライバルは、日本には存在しないのだ。

Kansai

大阪vs奈良　互いに、どんな目で見ている？

奈良と京都の関係でも記したが、奈良県には「奈良府民」という住民が存在する。その数は県民の8分の1ともいわれ、奈良県は全国でもっとも県外就業率の高い県でもある。通勤先でもっとも多いのは大阪市。そして奈良県は、実際に大阪と一緒の自治体だった時代があるのだ。

1868年に成立した奈良県は、同年に奈良府と改称し、翌年には再び奈良県に戻っている。その後、奈良県は堺県に編入されてしまったのだ。堺県は奈良県と同じ1868年に成立。当初の範囲は現在の堺市、泉大津市、岸和田市など、大阪府南西部の泉州地域だった。そして翌年、旧河内国をエリアとしていた南東部の河内県を編入。そして1876年、奈良県も堺県に編入された。

堺県も1881年に大阪府へ編入される。したがって、奈良は大阪府の一部となる。しかし、このときを契機に奈良出身の府会議員を中心として奈良県再設置運動がおこなわれ、1887年に改めて奈良県が成立したのだ。

このような経緯があるため、大阪府と奈良県の関係は親密――と思いがちだが、あながちそうでもない。

府下東部の市はまだしも、大阪市や北部、南部の自治体は奈良県にあまりなじみがない。なぜなら、観光以外で奈良に出向くことはまれであり、観光目的であっても、多くは京都や神戸に足が向いてしまうからだ。そのため、大阪府民の奈良に対するイメージは、「シカ」「大仏」「寺」とそっけない。

逆に、奈良県民が大阪府にもつ印象は幅が広い。「賑わっている」「何でもそろっている」「食べ物がおいしい」「遊ぶところがたくさんある」「便利」といった好意的なものが挙げられる。「怖い」や「言葉が汚い」という意見も聞かれるが、それは奈良だけでなく、全国的な大阪に対するイメージに等しい。

ならば、「奈良人は大阪府に住みたがっているのか?」といえば、そうでもない。自然が豊かで、人が少なくて静か。多少の不便があったとしても困ることは少ない地元のほうが、住むには適していると考えるからだ。つまり、「近鉄に乗ればすぐに行けるのだから、わざわざ移住することはない」という発想だ。

とはいえ、大阪に憧れをもつ奈良県民は多い。終電を気にしながらも、休日には必ず大阪へ出かけるという若い世代の声も聞く。大人であっても、特別な買い物や気取った食事は大阪へ出かけるらしい。

奈良県民の大阪への片思い。それが互いの関係性といえよう。

Kansai

奈良VS和歌山 互いに、どんな目で見ている?

和歌山県は紀伊半島の南部を覆《おお》う形で位置し、大阪府、奈良県、三重県と境を接している。そのなかで、境界線がいちばん長いのは奈良県である。そのせいもあるのだろう、特に奈良県の南部と和歌山県は互いの影響が強い。

たとえば、奈良の名物としてお茶で炊いた「茶粥《ちゃがゆ》」があるが、これは和歌山でも一般的に見られる。奈良の柿の葉寿司も、熊野で取れたサバを吉野川沿いの村に運んで販売したのが始まりだといわれている。方言も、「ざ行」が「だ行」になったり、語尾に「やよ」「やん」がついたりする点が似ている。

『日本書紀』と『古事記』には、神武《じんむ》天皇が日向国から摂津国に入ったとき、ナガスネヒコという土豪に敗れて進路を変更した、と記されている。

神武天皇の一行は、大阪湾から太平洋に出て熊野に到着し、そこから大和国の畝《うね》傍《び》まで進軍したのだ。この「神武東征《とうせい》」は伝説と見なされているものの、太古から熊野〜大和のルートが存在したとも考えられる。

また奈良県南部の吉野は、皇族や貴族が都から逃れて隠遁《いんとん》した地でもある。これは万が一のとき、吉野の山中から熊野へ逃げのびることができたからとの説がある。

さらに、一級河川の熊野川（奈良県内は十津川）は吉野から和歌山県新宮《しんぐう》市まで、紀《き》の川《かわ》（同吉野川）は吉野から和歌山市まで流れ、林業が盛んだった時代は、これらの川を使って材木が運び出された。当然、材木だけでなく人の往来も盛んだったことがうかがえる。

この、奈良県と和歌山県をつなぐアクセスは近代になっても引き継がれ、１８９６年設立の紀和鉄道は奈良県の五条駅と和歌山駅を結び（後の関西鉄道路線、現在のＪＲ和歌山線）、１９３９年には五条と新宮をつなぐ国鉄五新線が着工されている。

五新線は1982年に工事計画は凍結されるが、現在、奈良県大和八木駅と和歌山県新宮駅までのバス路線が通じている。奈良交通の「八木新宮特急バス」だ。全長約167キロの路線は、定期運行路線としては日本最長を誇る。

そして、奈良と和歌山の意外な結びつきは夏の高校野球、全国高等学校野球選手権大会だ。今でこそ、各都道府県の地方大会を勝ち抜いて1校もしくは2校が出場するが、和歌山と奈良は1977年（記念大会を除く）まで両県で1校しか出場できなかった。この地方大会を「紀和《きわ》大会」という。

このように、文化的にも歴史的にも関係性の強い和歌山と奈良だが、県民同士が親密かというと、そうでもない。

奈良県民は大阪か京都に出かけるし、和歌山県民は大阪だ。これまで記したような両県のつながりを告げても、「へえ、そうなんや」という若者も多いだろう。

Kansai

和歌山vs大阪　互いに、どんな目で見ている？

奈良県に住んで大阪や京都に働きに出たり通学したりする「奈良府民」同様、和歌山県には大阪府へ通勤する「和歌山府民」が大勢いる。特に和歌山県北部では大規模な宅地開発がされたこともあり、和歌山県民のみならず大阪府から土地の安い和歌山に移り住んで、大阪市で働くといった住民も多い。

そんな和歌山の人たちは、大阪に対して対抗意識をもつことはない。それどころか、そもそも和歌山県民は他府県にライバル意識をもたない。それは紀州徳川藩55万石のおひざ元というプライドもあるが、「よそと張り合ってもしゃあないし」という意識からだろう。和歌山特有の温暖な気候は、人の性格も温和にするのだ。

とはいえ、文化的に見れば55万石の威光は大阪府にも影響をあたえている。特に泉州地方において、その影響力は絶大である。

江戸時代、紀州藩の藩主は紀州街道や熊野街道を通って参勤交代に出かけた。現在も、旧街道沿いには当時の本陣《ほんじん》跡などが残されている。参勤交代以外でも、和歌山の海産物や野菜や果実、材木は街道や湾岸を通って大坂に運ばれていた。物資と人の往来は、文化も広めていくわけだ。

しかも泉州南部の人にとっては、大阪よりも和歌山のほうが近い。大阪も大都市だが、和歌山も近代までは負けてはいない。文化が同心円状に広がっていくのであれば、泉州地域は和歌山の影響も強く受ける。これは、京都に近い北摂地域と同じ現象である。

泉州と和歌山の共通文化として挙げられるのが方言だ。「行けない」が「行けやん」、「してあげる」が「しちゃる」という方言は和歌山と泉州ではよく聞かれるが、ほかの大阪府下では耳にしないし、話さない。

さらに、泉州でも泉佐野市以南ともなれば、難波《なんば》や梅田に行くより和歌山市内に出かける人のほうが多かった時代がある。和歌山市の「ブラクリ丁《ちょう》」といえば、心斎橋に匹敵するほどの繁華街という意識があったのだ。

ただし、これらはあくまでも南部の人たちに当てはまること。北部や大阪市内の人たちの和歌山の印象といえば、「海」「温泉」「梅干しとミカン」「白浜のパンダ」である。

だが、関西サーフィンのメッカの1つ「磯ノ浦海水浴場」は和歌山市。大阪サーファーにとっての和歌山は、聖地でもあるのだ。

3 2府4県の気質を比べてみた!

たとえば——
外国人に対してフレンドリーな関西人といえば?

Kansai

関西人は本当に「しぶちんで、がめつい」のか？

関西人はケチでお金にシビア。関西風にいえば「関西人は、しぶちんでがめつい」といったところか。それが全国的なイメージかもしれない。とはいえ、「京都人はケチ」「神戸っ子はお金にシビア」と具体的な地名を入れれば、首をかしげたくなるのも確かだ。

京都の人も、基本的に金銭に関して敏感だ。できるだけムダなお金は使いたくない、という意識はもっている。節水や節電を心がけ、料理も食材を余すところなく使い切る。

ただし、自分にとって価値があるというモノやサービス、行動についてはお金を惜しまない。

「価値があるもの」とは、長く使えるもののこと。すぐに壊れてしまいそうな電化製品や、シーズンが終わると着られなくなるような服を買ったりはしない。嫌いな言葉は「安物買いの銭失い」である。

「価値のあるサービス」については、どれだけ楽しめて自分の心が豊かになるか、という点に基準をおく。そのため、どんなにおいしい料理店であっても、サービスがおざなりであれば二度と足を運ばない。

「価値のある行動」とは、自分への投資。それをおこなうことで、どれだけ自分が成長できるか、を基準とする。そのため、価値があると思えば値段は気にしない。価値に応じた価格を設定していると信じているからだ。したがって、値切るということもしない。お金のことを、あまり口にするのは下品だとも思っている。

奈良県民も、同じような感覚はもっているという。

神戸や阪神間の住民は金銭感覚に乏しいといえるし、高いものに価値があるという意識が強い。モノを長く使うということも苦手で、気に入らなくなったらすぐに手放してしまう。もちろん、値切るなどもってのほかだ。

お金に細かいのは和歌山県民と滋賀県民だ。和歌山県民は大阪人の影響を受けているためだが、滋賀県民には別の理由がある。

滋賀県は大消費地である京都に近く、街道を使った東西の交通も便利。そのため、商売人が多く生まれた。「近江《おうみ》商人」である。商人たちは全国規模で資本と信用を積み上げ、しかも質素倹約を旨《むね》とする。

滋賀県出身の実業家には、伊藤忠商事と丸紅の創設者である初代伊藤忠兵衛、住友財閥の初代総理事・広瀬宰平《さいへい》など、錚々《そうそう》たる人物の名がそろう。

では、「大阪人はどうか？」となると、通説とは少し違ったニュアンスがある。ケチでシビアなのは事実だが、京都人同様価値があるかどうかを気にする。

ただ、京都と違うのは、価値と対価のバランスを非常に重要視する。つまりは「費用対効果」、今どきの言葉でいえば「コストパフォーマンス」だ。「払った金額に見合う」のではなく、「支払った金額以上に価値がある」という点を大事にするわけだ。

「少ない投資で多くの利益」

これが大阪人にとっての金言。よく「大阪の男性とデートしてもおごってくれない」という話を耳にするが、大阪人は「おごる価値があるかどうか」を見極めようとしている。

男性が必ずおごらなければならない、という意識の是非は別として、「おごってくれない」と嘆くより「おごってくれるようになる」ことを心がけるべきなのだ。

Kansai

出身地を「どう答えるか」でわかる気質

旅行に出て「どちらから来られたのですか？」と聞かれたとする。多くの人は、自分の住んでいる都道府県で答える。例外なのが神奈川県で、「横浜から」「鎌倉から」などと市の名前をいう人が少なくないという。

同じように市の名前で答える人が多いのが兵庫県だ。特に神戸、芦屋、西宮、宝塚、尼崎の阪神地域と明石、姫路の市民は「兵庫から来ました」とはいわない。地元意識が高いのと、「兵庫」の知名度が低いというのが理由だとされている。

また、県に愛着がないわけではないのだが、「日本海側や淡路島と一緒にされるのは、ちょっと」という意識も手伝っているらしい。なかでも特殊なのが尼崎だが、そのことについては後で触れる。

そのほかの府県でいえば、県名で答えるのがほとんど。唯一例外なのは堺市民で、特に中世の環濠《かんごう》都市をルーツとする堺区民は「堺からです」と答えるという。

環濠都市とは、濠《ほり》に囲まれた地域のこと。室町時代に「東洋のベニス」とも呼ばれるほどの国際貿易都市で、町人による自治もおこなわれていた堺は大坂よりも先に経済都市として発展を遂げていた。

そんな独自性が400年以上の年月を経ることで、頑固ともいえる住民気質を生み出してしまう。プライドが高く、「堺がいちばん!」「大阪がなんぼのもんじゃい!」という意識が強いのだ。その点は京都洛中の人と等しく、住所・出身地を聞かれると大阪ではなく堺と答えるのである。

　別の意味でのこだわりをもつのが京都府民だ。「どちらから？」と聞かれれば、胸を張って「京都です」と答える。

　ただし、次に「京都のどちらから？」と聞くと態度は異なる。舞鶴や宇治、福知山などの人なら、自分の市を答えるだろう。しかし、生粋《きつすい》の京都人なら、「どちらから？　京都は京都しかおへんし」と機嫌を悪くするかもしれない。

　何度も記すようで恐縮だが、上京区、中京区、下京区の人にとって「京都」と呼べるのは洛中しかない。それ以外で京都出身というのは、鼻持《はなも》ちならないのである。

　なお、県名で困ったことになるのが滋賀県民だ。「滋賀から来ました」といっても、「え？　どこ？」と聞かれる人が多いともいう。

　その知名度の低さを解消するため、２０１５年の県議会定例会では、ある提案が出された。それは、「滋賀県」を「近江県」に改名しようというものだ。この案は廃案になったものの、その後、知名度が上がったという話は伝わってはこない。

Kansai

「面白い人」といわれて喜ぶのは大阪人だけ

関西人は「面白い人」といわれると喜ぶ。そんなふうに思っている人がいるのなら、考えを改めてほしい。

出身が関西だと聞いて、「じゃあ、何か面白いことやってよ」という人を迷惑だと受け止める関西人は多く、出身地によっては激怒される恐れもあるのだ。

そもそも「関西人への面白いはほめ言葉」という説は、大阪人にしか当てはまらない。大阪人に「面白い人」といえば素直に喜ぶし、「優しい人」に並ぶ好印象だと信じている。

それは和歌山県民も同じだが、和歌山人は社交的な性格をもっている人が多いので、「面白さ」イコール「人との距離の短縮」という意識があるのだ。

兵庫県でも阪神間の男子は面白いといわれるのを気にしない。だからといって、大阪人ほど大喜びもしない。「あなた、面白い人ね」と告げれば、「まあね」と返される程度だ。これが大阪人なら、「ほんま！　ありがとう」とギャグの1つも披露してくれるかもしれない。

兵庫の播州地方なら、下手に面白いというと「なんや、なめてんのか！」と怒《いか》りを買う場合もある。気のおけない地元民同士なら話は別だが、何もわかっていない初対面でいわれる筋合いはない、と考えてしまう。

奈良県民や滋賀県民は、面白いといわれる理由がわからない。真面目な人が多いので、「何をすれば面白いのか」「どうして面白いといわれるのか」を考え込んでしまうパターンもある。そして、激怒する可能性が高いのは京都市民だ。

京都人も同じ京都の人からなら、「面白おすなぁ」といわれて悪い気はしない。意思の疎通《そつう》ができあがっているからだ。しかし京都以外の人からいわれると、「そんなこといわれる筋合いおまへん！」とお叱りの言葉を受けてしまう。

京都人にとっての「面白い」は、ゲラゲラ大笑いするような面白さではなく「変である」という意味に近い。その意味では「おかしい」に近いといえる。「面白いお人」は「変な人」という意味のほうが強いのだ。

そして京都人は、感情を表に出したがらない。出すのが下手だといってもいい。人前で大きな口を開けて笑うのは、はしたないという意識がある。

そのため、人に笑われるようなことをいったり、したりしたわけでもないのに、面白いといわれるのは我慢ができないのである。

ただ、M-1覇者のブラックマヨネーズやチュートリアルのように、京都出身のお笑いコンビはいる。彼らは京都というお笑いに乏しい環境をバネにして、日本一まで上り詰めたのかもしれない。

なお、同じM-1優勝者の笑い飯は奈良出身。型破りではあるものの、どことなくまじめな雰囲気が感じられるのは、そのせいかもしれない。

Kansai

関西人は「東京がキライ」というのは大間違い

関西人は、すべて「アンチ東京」である。東京人のことは嫌いだし、東京弁なんて聞きたくもない。この考えも誤解である。関西2府4県で、東京を意識しているのは大阪だけ。だからといって、決して毛嫌いはしていない。

人口はどうであれ、大阪は日本で2番目の都市だという認識は強い。もし日本に「副首都」という制度があれば、必然的に大阪がその地位を得ると思っている。「東京がなんぼのもんじゃい!」は大阪人の口癖の1つだが、到底かなわないのは誰もが熟知していることだ。

東京には独特の雰囲気をもつエリアが多い。もちろん、大阪にも特色のある街はあるものの、数と規模では東京に負ける。

じつは東京の人の話す言葉も、大阪人は嫌ってはいない。気っぷのよい江戸弁を浅草などで耳にすると、「あ、カッコええな」と思ってしまうし、江戸落語を聞けば「粋《いき》やなぁ」と思う。現在の東京都民が話す言葉を聞いても、「アカ抜けてんなぁ」と思う。ただ、どうしても許せないのが「エセ関西弁」だ。

関西人でもないのに妙なアクセントやイントネーションの関西弁を話す人には、「お前、何考えてんねん」「無理して話すなや!」と文句の1つもいいたくなる。テレビドラマや映画でも、無理な関西弁が耳障《みみざわ》りで、どんなに面白い内容であっても途中で観たくなくなることもある。

ただ料理とお笑いは、何があっても「大阪の勝ち」という意識は強い。それなりの高級料理なら話は別なのだろうが、居酒屋や大衆食堂などで食べるものは絶対に大阪のほうが美味《うま》いと確信しているし、東京弁の漫才には違和感を抱きがち。「最近、あいつら売れてるらしいけど、どこがおもろいのかさっぱりわからん」というのが率直な意見だ。

では大阪以外はどうかというと、「勝てない勝負をしない」といったところか。意識をするだけ無駄との考えがある。

神戸のライバルは横浜だけ。都市としての規模は小さいものの、六甲山の夜景は港の見える丘公園よりもきれいだし、横浜中華街より南京町のほうが庶民的で味もいいと信じている。阪神地域に至っては京都とは違う意味で、日本でも特別なエリアだという自負がある。

そして、京都である。端的にいってしまうと、「東京は京都の出先機関」という認識だ。首都の「機能」だけを預け、本当の意味での首都は京都。東京が首都であることを、「まあ、しかたおへんなぁ」と認めたとしても、京都が西の首都、つまり「日本には首都が2つある」という考え方が残っている。「京都、恐るべし」だ。

Kansai

関西男子は「女性への押しが強い」は真っ赤なウソ

京都には学生が集うものの、地元の人は住む場所の移動が少ない。大阪には地方から移住してくる人もいるにはいるが、基本的には地元民が占めている。神戸も然り。滋賀や奈良、和歌山の人は大阪・京都・神戸へ進学や就職するとしても関西の範囲内だ。

したがって、関西には生まれながらの関西人が多い。出身は和歌山で、京都の大学に進学し、大阪で就職して奈良で暮らしている。そんなパターンが数多くあるため、話す言葉は関西なまり。標準語が浸透しない理由は、そこにある。

言葉だけでなく移動・移住の距離が短いので、なかなか地縁を断ち切ることはできない。特に祭りの盛んな地域では、祭礼の前になると出身地に通い、当日にはホテルや知人宅に泊まって参加する人もいる。

このように、関西では、いつどこで知り合いに会うかもしれない。知り合いでなくても、知人の親類だったということは少なくない。スナックの新人ホステスを口説こうとして、よくよく話を聞くと知り合いの娘さんだった、というパターンは数知れない。

そのため、男性が女性にアプローチするときは、多少の警戒心が生まれる。よく、「関西人は遠慮がなくて、ダイレクトに迫ってくる」、つまり「なあなあ、お姉ちゃん、1回させてぇや」というふうに口説くともいわれるが、どこで誰とつながっているのかわからないので、そこまで下品な言い回しはしない。これも、関西に対する誤解の1つだ。

この傾向は、都心から離れた地域に強い。滋賀県や和歌山県、兵庫県の山間部や日本海側、奈良県の南部では、地元の女の子をナンパしようなどという大胆な行動は起こさない。

下手に手を出すと、親父や兄貴が怒鳴り込んでくる危険性をはらんでいるからだ。恋愛の告白ですら慎重になる。その癖がついているから、都会に出ても怖気《おじけ》づいてしまい、なかなか声をかけることができないのだ。

都心部でも、京都の人はおいそれと声をかけることはない。感情を表に出すのが下手だし、相手の親兄弟というよりも家を意識してしまうからだ。阪神間の男子は、スマートでおしゃれな誘い方をする。ただし、個性よりも自身のステイタスを前面に押し出しがちだ。

一風変わっているのが大阪の若者。「1回させてぇや」がないこともないが、それはあくまでもギャグの範囲だ。女の子のほうもそれを知っているので、「この人、おもろいこと、いうわぁ」で済ませてしまう。

その後に親密な関係になると、男子は真剣だ。結婚まで視野に入れてしまう。でないと、やはり「ウチの娘に何してくれてんねん!」「ウチの妹、オモチャにしやがって!」のクレームが舞い込みかねないのだ。

しかも、大阪男子は、基本的にシャイ。大胆な言動は、その裏返しといっても過言ではない。

Kansai

外国人に対してフレンドリーな関西人といえば？

インバウンドブームの影響もあり、関西でも外国人観光客の姿をよく見かけるようになった。観光名所の多い京都や奈良だけでなく、大阪でも道頓堀などは日本人よりも外国人の数が多い。

そのうえ飲食店やコンビニなどで働く外国人の姿も珍しくなくなっている。では、関西人自身は、増加しつつある外国人に対して、どんな思いをもっているのか。

フレンドリーなのは、神戸と大阪の人たちだ。神戸は、そもそも外国人が街の発展に寄与したという歴史があるので、多少目につきやすくなったという程度。話しかけられたりしても、スマートな対応が可能だ。

大阪は基本的に、どこの国のどんな人でも受け入れるという土壌が整っている。「観光に来て、ようけお金落としてくれるんやったら、結構なこっちゃ」という意識がないわけでもない。

観光客以外でも、「大阪で頑張ったら、世界のどこでも通用するで」「国へ帰っても、大阪はええとこやていうといてや」と根拠のない自信ももっている。そのため、外国人はウエルカムだ。

ただ大阪人はおせっかいなので、外国人に話しかけられれば余計なことまで話してしまう。とはいえ、その人たちが英語を話せることはほとんどない。道をたずねられて、「ここをな、バーとまっすぐ行って、ドーンと突き当たったら右に曲がって。わかる？　ＯＫ？」と英語なまりの大阪弁で話すおばちゃんもいる。

加えて「どこからきはったん」「何日くらい大阪にいてはんの」と逆質問。余計な時間をとられて困るのは外国人のほうだ。

神戸と大阪以外でも、意外に和歌山人も外国人には好意的だ。歴史的に移民が多かったということもあるし、観光地が多いというのが影響しているのだろう。

意外にも冷たいのが京都人だ。元々京都人は、ほかの地域の人と仲良くなることができない。腹を割って話すのも苦手。京都人同士ならコミュニケーションをとることもできるが、それ以外では警戒してしまう。これは、外国人にも当てはまる。

観光で街が潤うのは確実なのだから、お金を落としてくれるのはありがたい。とはいえ、「落とし方っていうもんがおますやろ」と考えている。遠慮もなく舞妓さんにカメラを向けたり、ズケズケと町家に踏み込んできたり、和食のマナーを知らなかったりすると、いちいち腹が立つ。

「京都へきはるんやったら、もうちょっと勉強してから来ておくれやす」表面では笑顔を浮かべていても、腹の底ではそう思っているに違いない。

Kansai

行列が苦手なのは「せっかちだから」だけではない

関西人全般にいえることだが、行列が苦手だ。地域によっては、毛嫌いしているといっていい。際立つのは大阪・神戸・京都で、それぞれの理由も異なる。

大阪人が行列を苦手とするのは、せっかちだからだ。ふらりと入った店で、「あと10分ほどで席が空きます」といわれれば、「10分も待つんやったら、もうええわ」と帰ってしまう。行列というより待つのがいやなのだ。

そんな大阪人でも、わざわざ並ぶこともある。1つはバーゲンや大安売り。少しでも安くなるのなら、苦労もいとわない。もう1つはパチンコ店。朝から並んで目当ての台にダッシュし、新台入れ替えや新規オープンは必ず並ぶ。そして、待った時間分の利益を確保しようとする。

流行に敏感なので、新しく開店した店なら並ぶ。また、雑誌などで評判のいい店も並ぶ。しかし、ほとんどは1回だけ。「あの店、どうやった?」と聞かれ、「悪いことはないけど、1回でええかな」と答える。待った苦労と時間を費やしただけの価値はない、と判断してしまう。

それでも、チーズケーキの「りくろーおじさんの店」には大阪人でも並ぶ。それだけの価値があるからだ。とはいえ、同店には2つの販売窓口がある店もある。1つは焼きたて、もう1つは作り置き。当然、作り置きのほうが待ち時間は少ない。大阪らしい配慮といえよう。

神戸人が並ばないのは、流行に左右されないからだ。新しいスイーツ店がオープンし、行列ができていたとしよう。「あそこまで並んでるんやから、おいしいんかなぁ」と興味をもつが、並んでみようとは思わない。「落ち着いた頃に、きたらええわ」との余裕を見せる。

メディアやSNSの評判がよい店も、並んでまで行ったり買ったりしない。店や商品の評価は、あくまでも自分の感覚で判断する。しかも、ガツガツしている姿を人に見せたくない。バーゲンの人ごみも嫌いなので、高くついても普段の日を選ぶ。

京都人は、並んでいる姿を見られるのがいや。「あんた、昨日、あそこの店で並んでたなぁ」といわれるのが恥ずかしい。並んで待つということは、購買欲や食欲などを満たすための行為だと思っている。そんな、「欲望にまみれた姿」を見られるのは、恥だという認識がある。「料理屋に並ぶのは、風俗店で並ぶのと一緒」。そんな男性の言葉を耳にすることもあるほどなのだ。

Kansai

京都人を怒らせてしまう「あるひと言」とは

なかなか感情を表に出さない京都人だが、怒らせる言葉はある。1つは先にも触れた「面白い人」ということ。もう1つは「地方の人」ということだ。特に「京都は日本の一地方」とでも口にしようものなら、その後、口を利いてもらえないか、縁を切られる可能性もある。

京都人にとっては東京も地方の1つであり、地方でないのは京都だけという意識が強いためだ。

大阪人も、地方の人といわれるのを好まない。「地方ってなんやねん。田舎ってことか?」と聞き返される。加えて、「そもそも地方ってなんやねん。説明してみぃや!」と食ってかかられることもありうる。

本来、地方とは国内の一部地域のことだ。日本では北海道、東北、関東、中部、中国・四国、九州・沖縄が大きな区分となる。しかし内閣府によれば、東京圏以外を地方と定義づけているし、辞書のなかには「首府以外の土地」と説明しているものもある。

だからといって、京都や大阪の人が納得するわけがない。「国が勝手に決めたこととちゃうんけ！」との言葉も飛び出してしまうのだ。

阪神間の住民は微妙で、「地方といわれれば地方かなぁ」と自覚もしている。それは、兵庫県の一部という認識があるためだ。だからといって、「阪神エリアは地方」といわれてしまうと腑《ふ》に落ちない。「東京だけやったらいざ知らず、栃木や群馬が地方とちゃうとはなぁ」と思ってしまうわけだ。

より微妙なのが奈良市民で「地方っていわれたら地方に違いないけど、なんかなぁ」となる。多くの都が置かれたプライドが潜在的に存在しているのかもしれない。

滋賀県と和歌山県、兵庫県の阪神間以外は、「はいはい、地方でございます」と納得済み。特に和歌山県は、地方ならではの魅力を発信しようとの計画が進められている。

風光明媚《ふうこうめいび》な観光地を広く紹介し、ミカンや梅といった農産物に、マグロや真ダイ、カツオといった水産物に加え、伝統的な技術でつくられる工芸品などをアピール。「和歌山県内で生産・製造されたもの」「安心・安全を重視したもの」「和歌山らしさ・和歌山ならではのもの」を基準とした幅広い分野の県産品を認定・推奨する「プレミア和歌山」という制度も発足させた。

なお、「首都などの大都市に対してそれ以外の土地」との説明が掲載されている辞書もある。つまり政令指定都市であり人口も10番以内に入る大阪、神戸、京都は、十分に大都市だ。地方ではない。「ほれみたことか」という声が聞こえてきそうだ。

Kansai

大阪人気質というものは「ひとくくり」に語れない

これまで関西の違いや特徴について記してきたが、メディアなどで紹介される関西人気質の多くは、そのほとんどが大阪人にのみ当てはまることに気づいていただけたかと思う。そして、同じ大阪人でも地域によっては違いがある。

第1章で説明したとおり、全国で46番目という面積であるにもかかわらず、大阪府は旧摂津・河内・和泉の3国で構成されている。

さらに、摂津は大阪市と高槻《たかつき》市や茨木《いばらき》市などの三島・豊能地区（北摂）に区分される。河内は守口《もりぐち》市や枚方《ひらかた》市などの北河内、東大阪市、八尾市などの中河内、藤井寺市、羽曳野《はびきの》市などの南河内。和泉は堺市、高石市、泉大津市などの泉北と岸和田市、貝塚市、泉佐野市などの泉南に分けられる。

大阪市は、いわずと知れた大阪府の中心地。かつては船場《せんば》を中心とした商いの街であり、現在も多種多様な住民が暮らしている。そのため、これといった住民気質に乏しいが、「大阪らしい風習や文化」といえば大阪市に伝わるものと見なしても間違いではない。

北摂が現在のような発展した姿になったのは、大阪万博が開かれた高度経済成長期以降だ。郊外型の宅地がひろがり、「阪神には住めないけれど北摂なら」と移住してくる人も多かった。

新住民で人口は爆発的に増加したものの、「北摂らしい」という文化はさほど受け継がれない。住民気質も比較的穏やかで、大阪のなかでも上品なエリアだといえる。

河内は「河内弁」が象徴するように、住民気質の荒い地域だ。ただ、北河内は守口と枚方に京街道（大坂街道）の宿場があり、淀川水運の影響もあって京文化も浸透しているので河内のなかではまだ穏やかだといえる。

もっとも河内らしい方言を話すといわれているのが中河内で、北河内よりも多少は住民の気性も激しい。

ただ、荒々しさに加え、独自の文化をはぐくんできたのが南河内だ。交通が不便で、南へ行くほど隔絶状態に近い南河内は地元意識が強く住民同士の連帯感も強い。古市古墳群に代表されるように歴史はすこぶる古く、飛鳥時代でも「近《ちか》つ飛鳥《あすか》」と呼ばれた奈良の飛鳥と並立するほどの地域であり、推古《すいこ》天皇や聖徳太子の御陵《ごりよう》も南河内にある。「南河内なんか大阪とちゃうやん」といわれても平気。まるで府から独立したような地域だ。

和泉は泉州という呼称のほうが一般的で、海があって町があって山があるという多彩な地域だ。気性は河内に負けず劣らず荒い。映画「岸和田少年愚連隊《ぐれんたい》」を観て、「まあまあ、あんなもんやろ」という納得の感想も多かった。

とはいえ、大阪府内では大阪市に次いで発展した地域でもある。自治都市の堺、岡部藩の岸和田は大阪市に次いで市となり、大正時代からは繊維工業の隆盛で地方財閥も生まれている。

その影響もあってか、「大阪府ではあれど大阪でない」というような意識も少なからずある。特に岬町や阪南《はんなん》市といった南部は和歌山文化圏ともいえなくもない。方言にしても和歌山弁の影響が強く、ほかの大阪府下では通じない言葉もあるほどだ。

このように同じ大阪でも多種多彩でひとくくりにはできない。すなわち、統一された「関西人」というものは存在しないのだ。

4 驚きの2府4県ローカルルール

たとえば——

結婚にまつわる各府県のユニークな風習とは

Kansai

エスカレーター、京都・滋賀は東京と同じ左側立ち！

関西と関東の違いでよく指摘されるのが、エスカレーターの乗り方だ。「関西は右、関東は左に立つ」というのが通説である。しかし、関西のすべての府県に当てはまるかというと大間違い。左右の別は、地域によって異なるのだ。

大阪は確かに右である。新大阪駅で左に立って、慌てて右に立ち直す人はけっこういる。そもそも「エスカレーターは右」のルールは、1967年に阪急梅田駅（現大阪梅田駅）で急いでいる人へ左側を空けるようにアナウンスされたという説や、1970年の大阪万博で世界ルールに合わせて右側に立つようにしたことが残っているという説がある。

しかし、京都は左なのだ。京都は観光都市でもあり、日本中のみならず海外からも多くの人が訪れる。もともとは大阪と同じ右立ちだったが、観光客の利用状況に対応するため、全国標準の左に改めたといわれている。ネットなどでは「アンチ大阪の意識から」という書き込みも見られるが、そこまで京都人の度量は狭くない。

ただし、かつては大阪や奈良などから利用する人が多い在来線のエスカレーターは右立ちで、全国の利用者が多い新幹線では左になるともいわれていた。現在は在来線も左立ちが主流のようだ。

では、関西を代表するもう1つの都市、神戸はどうかというと、こちらは右。大阪のシステムが、そのまま伝わっている。その他の県は、京都文化圏の滋賀は左、大阪に近い和歌山は右、奈良は左であったり右であったり。先頭に乗った人が県民や大阪・神戸人なら右だが、それ以外の観光客であれば左となるらしい。

ただし最近は、「エスカレーターは歩かずに2列に並んで」というルールが提唱され、埼玉県では立ち止まって乗るよう条例で定められた。1列よりも2列のほうが運送効率が高いのと、駆け上ったり駆け下りたりしたときの衝撃で急停止し、事故につながる可能性もあるためだ。

あと数年もするとこのルールが徹底され、「そういうたら昔は、関東は左、関西は右ていうてたなぁ」といわれる時代が来るかもしれない。

Kansai

結婚にまつわる各府県のユニークな風習とは

日本の婚礼文化は関西が発祥だとされる。京都や奈良の公家社会から始まったといわれ、結納《ゆいのう》や引き出物の風習も、古代から平安時代の間に始まったようだ。そんな関西には、現在でも特徴的な習わしが残る地域がある。

まず、大阪府の結婚といえば結納が特徴的だ。関東の結納は新郎と新婦の両家が贈り合うのだが、大阪では新郎だけが贈るものだった。現在では関西にも両家折半が定着しつつあるが、それでも新郎側の割合が多いこともある。また、結納品の台も1品につき1台。結納返しは1割ほどしか贈らない。こうした方法は関西の主流になっている。

新郎側の負担が大きいのは、結納品を男性が女性に「納めるもの」と解釈しているためだとする説が有力だ。そして1割返しと似た風習は京都にも残っている。

京都府には結婚などで祝いをもらった後、その1割を返す「おため」「うつり」という風習がある。「もらった喜びを相手にも移す」といった意味があるようで、結納返しとはまた違った風習だ。結婚祝いは式場に持参はせず、先方の自宅へと伺って渡すことも多い。

結納時には男女がそれぞれの扇子を用意し、取り交わすことで結ばれる意思を示す「おさえ末広《すえひろ》」という儀式もある。これは奈良県の一部地域でもおこなわれたようで、結婚式当日に新婦宅で門火《かどび》を焚《た》く風習もあったようだが、現在はほとんどおこなわれないという。

和歌山県では、結納時に「懸鯛《かけだい》」というワラで結びつけた2匹のタイを付けた角樽を親戚縁者と仲人がもってくる風習があり、式後にはご祝儀の半分を返す「半返し」をすることもある。兵庫県では、結納時に酒と肴《さかな》を新婦宅に持参する「こぶし固め」という風習と、新婦が近所に菓子を配る「嫁菓子」をおこなう地域が残っている。

滋賀県には、結納前に「貴芽酒《おため》」がおこなわれることもある。男性側の仲人や父親が酒を持参し、両家の初顔合わせと結納の日取り決めをする風習だ。だがもっとも特徴的なのは結婚式の後。

式が終わった翌日以降、振り袖姿の花嫁が義母と一緒に近所へ挨拶回りをする地域がある。そこでは隣人たちを自宅に招き、花嫁のタンスと中の着物を見せる「箪笥《たんす》見せ」や「かまど見せ」という軽い宴会をすることも。ただし現在では、着物のレンタル品を詰めることも多いらしい。

Kansai

大阪と京都の香典袋の水引が「黄白」の理由

香典を包む水引《みずひき》の色は関東では「白黒」だが、大阪府と京都府では「黄白」が使われることがある。色が違う理由は、天皇家への配慮とする説が有力だ。天皇家の水引は「白黒」だったので、京都と大阪は天皇家と同じ色にすることを避けるために黄白にしたといわれている。

また、友引《ともびき》の日は葬儀をおこなわないのが一般的だが、どうしても火葬をおこなう場合には身代わりの人形を棺に入れるケースもある。京都では「友人形」、大阪では「いちま人形」と呼ばれているが、本質は同じ。また、魂の心残りを消すために故人の茶碗を割る風習も広くおこなわれていた。

ただ、同じ関西でも奈良県では位牌が2種類用意される。「内位牌」と「野位牌」で、2つ使うのはかつて土葬が主流だった時代の名残だ。両方とも埋葬した遺体の上に置かれていたが、火葬が一般的な現在では納骨後に処分されることが多い。不祝儀袋の水引も大阪や京都と違い、関東風の白黒なので要注意だ。

滋賀県では出棺は玄関以外とする風習が根強く、死者の魂が出入りする場所なので不吉であるという考え方からきたようだ。

これらとは違い、起源や理由が不明な風習をもつ県が和歌山県だ。県内の一部地域では、葬儀後に黒い扇子を壊して屋根上に投げ捨てることがある。始まった時期や理由は一切不明。葬儀で使用した扇子は縁起が悪いと捨てられることはよくあるが、なぜ屋根に投げ捨てるのかはわかっていない。

そして、関西圏内には焼香《しょうこう》にお香を使わない地域もある。それが兵庫県だ。兵庫県の葬儀も大まかな流れは同じだが、神戸の一部では焼香ではお香ではなく水を使うことがある。故人を荼毘《だび》にふす前、樒《しきみ》を溶かした水に樒の枝葉を浸してから3回、棺の上に振りかけるのである。この方法はお香を使う火種焼香に対して「水焼香」と呼ばれている。

また神戸市でも長田区や中央区では参列者が焼香時に小銭をそなえるという風習がある。これを「焼香銭《しょうこうぜに》」といい、香炉のなかではなく盆の上など周囲におく。

さらに兵庫県の播磨地域の一部では、

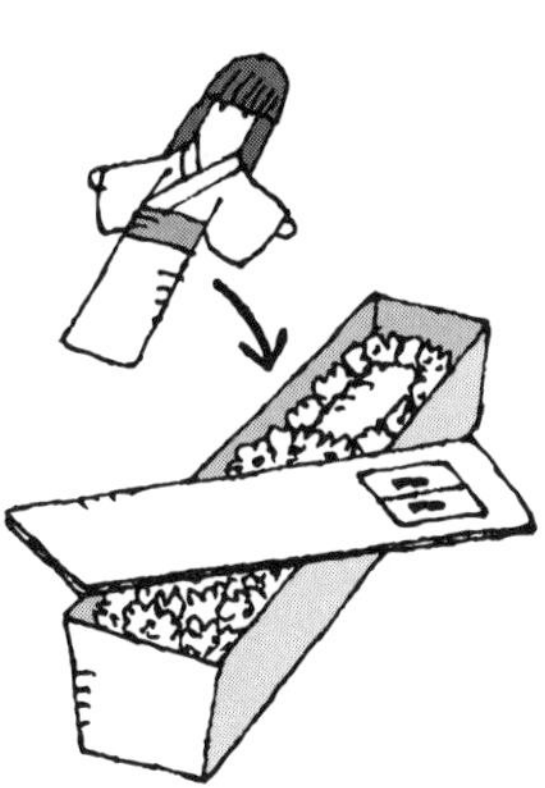

近親者で棺を3回まわす「三度まわし」「棺まわし」という風習があり、なかに納められている故人の方向感覚をなくして家に帰ってこられなくするためだという。

丹波地域の一部では、住職が枕経《まくらきょう》をあげるまでは北枕ではなく南枕にする。これは、枕経までは病人という考えに基づくもの。枕経を終えると、北向きに変える。

ほかにも、葬式が終わると軒下に白い布を吊るすなど、丹波にはほかの関西地域には見られない独自のしきたりが多く残されているようだ。

Kansai

初詣のスタイルは関西各地でずいぶん違う

正月の初詣は、地域によっては参拝する先に違いが見られる。

京都の場合、元旦は近所の寺や神社に参る。有名どころは人が多いという理由もあるが、正月は家で過ごすものという観念が根強いからだ。

外出するにしても、年始回り程度。祇園などの東山方面では大晦日の夜に八坂神社へお参りし、願い事を書いたおけら木を灯籠《とうろう》の火にくべ、吉兆縄《きっちょうなわ》と呼ばれる縄に火を移してくるくる回しながら自宅に持ち帰る「おけら参り」に出かける人は多い。

奈良は大小さまざまな神社があちらこちらにあり、初詣は普段からお参りしている神社へ参詣にいく。大きな神社やお寺にいくのは2日以降。京都と同じで、人込みを避けるのと、元旦は家で過ごすことが一般的だからだ。

滋賀と和歌山、阪神間《はんしんかん》を除いた兵庫の人も地元が優先。異なるのは神戸から東の兵庫県民と大阪府民だ。

阪神間の人は、初詣といえどもブランドを重視する。地元を大切にする人もいるにはいるが、なかには生田《いくた》神社や西宮神社といった名の知れたところにしか参らない人もいて、とくに若い世代には多いという。

大阪人は、とにかくあちこちの神社に参りたがる。元旦は地元、2日は全国屈指の参拝者数を誇る住吉大社《すみよしたいしゃ》、3日は別の有名なところ、といった具合だ。大阪府下だけではなく、京都や奈良まで足を延ばす人もいるし、ご利益によってえり好みする人もいる。こうなると、もはや参拝ではなくレジャーの1つである。

だが、そもそも初詣は鉄道会社が仕掛けた新しい風習だ。1872年に新橋と横浜間に鉄道が開通すると、正月に汽車で川崎駅から川崎大師へ参詣する人が増加。当時の1月3日付の新聞にも「ちょッと汽車にも乗れ、ぶらぶら歩きも出来、のん気にして、至極妙なり」との記事も掲載されている。

つまり、正月の参拝は休日を利用したレジャーに変化したわけだ。この新しい習慣が、やはり新聞によって「初詣」と名付けられたのである。

この人気にあやかって、1899年に大師《だいし》電鉄（現京急電鉄）が官営鉄道の川崎駅付近と川崎大師を結ぶ。関西でも阪神電気鉄道が西宮神社の初詣を宣伝。ほかの電鉄でも沿線にある神社仏閣を宣伝し、現在の初詣につながっていったのだ。つまり初詣における大阪人のレジャー感覚は、決して間違いではないのである。

Kansai

大阪にはソープランドが1店も存在しない！

大阪人といえば、「下品でスケベで女好き」というイメージをもつ人も、なかにはいるかもしれない。一部にはそういった人もいるにはいるが、じつは大阪の性風俗業は、さほど盛んではない。

確かに、関西でもっとも性風俗店の登録が多いのは大阪府だ。しかし、その多くはデリヘルやホテヘルといった無店舗営業で、店舗型ヘルス（箱ヘル）やピンサロの数は少ない。さらに、大阪にはソープランドが存在しない、という事実がある。

これをいうと関東方面の人には驚かれるのだが、大切なことなので繰り返すと「大阪にはソープランドが1店もない！」。かつてはミナミやキタなどの歓楽街には存在したが、1990年に「国際花と緑の博覧会」が開催されると決まった際、一斉摘発を受けて廃業に追い込まれてしまった。

ただし、大阪には特別な風俗街があり、それは「ちょんの間」とも呼ばれる新地である。大阪には遊郭《ゆうかく》・遊里の流れをくむ飛田《とびた》、松島、今里、滝川、信太山《しのだやま》という「5大新地」が今も存在する。そんな新地で何がおこなわれているのかというと、この誌面では差し控えたい。

大阪にないソープランドだが、周辺に目を向けると全国屈指のソープ街が存在する。いわずと知れた神戸の福原と滋賀県の雄琴《おごと》だ。福原には約70店舗、雄琴には約35店舗が営業しているとされ、兵庫県には尼崎にもソープランドがある。

兵庫、滋賀以外でソープランドが営業しているのは和歌山県だけ。和歌山市の新《しん》雑賀町《さいかまち》には8店舗ほどのソープランドがある。面白いのは、いまだに「ト○コ風呂」という看板を掲げている店もある。

大阪府同様、京都にもソープはない。興味深いのは、木屋町《きやまち》や先斗町《ぽんとちょう》といった繁華街のはずれに箱ヘルが営業していることだ。木屋町なら四条通を北に進んだあたり、先斗町から四条通を南方向の路地にも数軒の箱ヘルが営業している。

風俗に縁の薄いのが奈良県だ。無店舗営業の風俗店はあるもののソープはもちろん、箱ヘルも存在しない。そもそも奈良県は繁華街が少ないし、閉店時間も早い。それだけ奈良県民はまじめだと考えられなくもないが、真相は不明だ。

Kansai
神社がいちばん多いのは意外にもこの県

関西で神社仏閣が多い府県はどこだろう? そう聞かれると、「京都と奈良の2トップ」と答えたくなるはずだ。確かに京都と奈良には有名な神社仏閣が多いのだが、全体数となると少々話は異なってくる。

文部科学省の令和4年度宗教統計調査によると、日本全国の神社は8万847社となる。京都の神社数は1761社。なかなかの数に見えるだろうが、実は関西では第2位だ。

第1位は兵庫県で、県内の神社数は3860社。京都との差は倍近い。ちなみに、兵庫は全国で見ても新潟県(4679社)に次ぐ第2位である。兵庫の淡路島は国生《くにう》み神話の舞台とされ、播磨・摂津地方は古代から人口が多かった。こうした信仰と人口の多さから、神社が全国有数の数になったと推測される。ちなみに関西第3位は滋賀県(1444社)で、もっとも少ないのは和歌山県(449社)。残る大阪府は

734社、奈良県は1388社である。

和歌山県が少ないのは、明治時代におこなわれた「神社合祀《ごうし》政策」に従ったものだとされる。

これは神道を事実上、日本の国教とする「国家神道」を進めるためにおこなわれた政策で、複数の神社を1つにまとめるもの。地域によって差はあったが、三重県や愛媛県、そして和歌山県の廃社がはなはだしかった。和歌山県出身の学者、南方《みなかた》熊楠《くまぐす》は「敬神思想を弱める」「史跡と古伝を滅却する」「天然風景と天然記念物を亡滅する」と批判し、合祀反対運動をおこなっている。

次に寺院の数だが、同じく令和4年度宗教統計調査によると、全国では7万6699寺。そのうち奈良県内の寺院数は1804寺とあまり多くない。関西ではこの下には和歌山県（1586寺）しかなく、奈良は寺院が意外に少ない県といえる。ちなみに京都は、3058寺で、関西では第4位である。

平安時代から鎌倉時代にかけて、公家や権力者は平安京内外に多数の寺院を建立した。平安社会は信仰心が強く、善を積むほど極楽浄土《ごくらくじょうど》が近くなると信じられていた。そのため貴族はこぞって寺院造りに勤《いそ》しみ、鎌倉初期には末法《まっぽう》思想の流行で新宗派の本山も集まり、京都は関西有数の寺院都市となったのだ。

一方、奈良県にも平城京がおかれはしたが、100年もたたずに遷都《せんと》されている。さらに大寺院の権力が強く、新興勢力も入りづらかったので、寺院数は控えめになった。そして明治時代初期の仏教排斥《はいせき》運動（廃仏毀釈《はいぶつきしやく》）により、奈良県内で多くの寺院が廃され、十津川村では全廃したという歴史もある。

京都を押さえての関西第1位は大阪府の3369寺だ。全国的に見ても、愛知県（4533寺）に次ぐ日本第2位。古来、大坂は夕日の名所として知られ、平安以後は浄土信仰の聖地にもなったことが大きい。

飛鳥時代には日本最初の官営寺である四天王寺が築かれ、室町時代には本願寺の総本山、石山本願寺がおかれていたほどだ。そして豊臣秀吉が大坂城を築いたとき、南の守りとして現在の天王寺区下寺町に寺院を集中させる。いざというときの砦代《とりで》わりとしたのだ。加えて貝塚市や高槻市、富田林市には寺を中心とした自治都市、寺内町《じないちょう》も成立した。

それ以外を見ると、神社数で関西トップだった兵庫県が3284寺で関西第2位。滋賀県は3199寺で関西第3位だが、人口1万人当たりの数は約22・7寺と全国1位だ。やはり古来、日本仏教の中心地だったこともあり、関西は神社仏閣と縁が深い土地柄となっているようだ。

Kansai

三大名字「佐藤、鈴木、高橋」が関西では上位にこない

名字の正確な総数は不明だが、一説では最低でも10万に達するという。なかでも佐藤、鈴木、高橋は日本でもっとも多い三大姓とされ、主に関東地方で顕著《けんちょ》だ。次に関西を見ると、東京方面とはまた違った特色が現れている。

まず、大阪府でもっとも多い名字は「田中」である。田中姓は日本全体でも4番目に多い名字だ。そこから2位の山本、3位の中村、4位の吉田、5位の松本とつづいている。ただし三大姓の府民は意外と少なく、もっとも多いのは第9位の高橋。佐藤と鈴木はそれぞれ第13位と第29位である。

兵庫県の1位と2位も田中と山本で、3位井上、4位藤原、5位松本だ。藤原姓が多いのは、都から進出した藤原氏の公家や武士集団が定着した名残であるという。京都府と滋賀県のトップ3も、大阪と同じく上から田中、山本、中村。京都の4位は吉田、5位は松本、滋賀県は西村と山田となっている。

奈良県だと1位は山本となり、2位田中、3位吉田とつづく。4位と5位は中村と松本だ。和歌山県も1位は山本で、2位田中、3位松本、4位中村、5位前田と

なっている。つまり、関西圏の名字ランキングでは田中と山本が2トップということになる。佐藤、鈴木、高橋は、上位にランクインしていない。

このように、関西は地形を由来とする名字が上位に入りやすい。古代から日本の中心地であった関西では、歴史的に人口密度が高かった。そうなると、名字をつける際、住んでいる土地をルーツとする名字が多数派になる。「名字、何にする?」「家が田んぼのなかにあるから田中でええんちゃうん」というわけだ。

そもそも田中は水田やその所有者がルーツとされ、全国各地に田中の姓や地名が生まれている。古代の朝廷にも仕えた、大和国田中（現奈良県橿原《かしはら》市田中町）の豪族田中氏が有名だ。古代政治の中心地だった京都とその周辺でも開墾《かいこん》は積極的におこなわれ、必然的に田中の姓は増えていく。そうした流れで、関西圏では田中姓が多数派として定着した、というわけだ。

同じように、山本は山の麓《ふもと》、中村は地域の中心となる村がルーツとされている。山岳地の多い和歌山や奈良で山本姓が多くなるのも納得できるだろう。ちなみに、全国2位の鈴木のルーツは関西だ。和歌山県の熊野信仰が始まりとされ、信徒は布教のために全国へと散らばった。そして三河で布教した一団が徳川家とともに江戸へと移ったことで、関東方面に定着したとされている。

Kansai

神戸で大人気の「女子高生の制服」とは

全国的に女子高生の制服はミニスカートが流行《はや》りだが、神戸っ子や阪神間の女の子のスカートの丈は長い。とはいえ、私服ではミニスカートをはく女の子もいる。ではなぜ、制服だけが長いのか。理由として挙げられるのは、お嬢様学校が多いこと。神戸女学院、小林聖心《おばやしせいしん》女子学院、甲南《こうなん》女子などの、兵庫県のみならず関西を代表するお嬢様学校は、ほとんど阪神間に集中している。

これらお嬢様学校のなかでも、制服に大きな特徴があるのが松蔭《しょういん》中学校と松蔭高等学校だ。ベルト付きのワンピースで、冬服は紺色で足元はタイツをはき、夏服は純白の半袖で胸元には「Shoin Mission School」の頭文字を取った刺繍《ししゅう》が施されている。

夏場は涼しく見え、冬は温かいだけでなく着やせ効果があるのも人気らしい。制服に憧れて入学する女子中高生も多く、神戸で「制服といえば松蔭」と答える人も多くいるという。特に夏の制服は衣替えの季節になると毎年のように新聞でも報道され、関西では季節の風物詩となっている。

松蔭のほかにも、ロング丈のワンピースタイプやジャンパースカートを採用している学校は多い。シルエットとして短い丈が似合わないのでロングが多く、それにならって普通のスカートの学校も丈を短くしないというわけだ。

制服のほかにも、阪神間女子高生の特徴として挙げられるのが「ファミリアバッグ」。ファミリアは神戸市に本社がある子ども服ブランドで、創業者のひとり、坂野《ばんの》惇子《あつこ》がモデルになったNHK朝の連続テレビ小説「べっぴんさん」（2016年下半期放送）でご存じの方も多いだろう。

そのファミリアが、小さな子どもがピアノのレッスンに行くことを想定してつくったのがファミリアバッグである。ウサギやクマ、女の子のアップリケが縫い付けられたデニムバッグで、神戸・阪神間の学校に通う女子高生の間ではテッパンアイテムとなっている。坂野さんの母校である甲南女子中学・高校では「KONAN」の刺繍が入ったファミリアバッグが販売されており、8割の生徒がこれを購入するという。

すっかり地域に浸透したこのファミリアバッグは、神戸では100パーセントの認知度を誇る。もはや単なる「モノ」ではなく「神戸の山の手の女学校」に通うステイタスなのである。

Kansai

恵方巻きの発祥は大阪の船場商人から？

近年、節分の行事で食べられるのが恵方巻きだ。その年の縁起のいい方角（恵方《えほう》）に向かって目を閉じ、一言も喋《しゃべ》らず太巻きを丸かじりする人も多いだろう。

恵方巻きの発祥について有力なのは、江戸時代から明治時代にかけて大阪は船場《せんば》から広まったというもの。「船場の商人たちが花街で芸遊びをしながら、7つの具を巻いた太巻きを食べて節分の祝いや商売繁盛を願った」「船場の旦那衆が花街の芸妓に願掛けを口実として太巻きを食べさせ、必死でほおばる姿を見て楽しんだ」などが由来とされる。

この風習を本格的に広めたのは、大阪にある寿司と海苔《のり》の団体だ。1932年には大阪鮓商組合後援会が「幸運巻寿司」という名をつけて「節分の日、その年の恵方に向いて無言で1本の巻き寿司を丸かぶりすれば幸運に恵まれるという習慣が、古くから花柳界で流行していた」とのビラを配布し、1973年頃には大阪海苔問屋協同組合が寿司屋に海苔を納品するとき、「恵方に向かって無言で家族そろって巻き寿司を丸かぶり」というチラシを配ったという。

ここまでは、大阪でも一部の地域でしかおこなわれていなかった。関西でも、他の府県では、あまり見られない風習だったのだ。それが全国的になったのは、コンビニ大手の「セブン-イレブン」が仕掛けたキャンペーンだった。

1998年、広島県のセブン-イレブンの巡回アドバイザーが、関西で節分に太巻きを食べる流行があったことを知り、新たな目玉商品として取り入れるべく企画。「恵方巻き」として販売を開始する。現在では、デパートやスーパーなど、どこでも節分になると、この恵方巻きが大きく宣伝され、具豪華な食材のものが登場。寿司だけでなく「恵方ロールケーキ」までも販売されている。

しかし、1日だけの行事のため、問題となるのが廃棄問題だ。売れ残った恵方巻きが大量に廃棄されることが問題視され、近年では予約販売に切り替えるスーパーやコンビニも出てきている。

それでも、ある調査によると、令和5年で約256万本が売れ残るという推計(2023年4月14日付「毎日新聞」より)がなされている。

もともとは、大阪船場のお座敷遊びから生まれたといわれる恵方巻き。縁起を担ぐのも悪くはないが、食品ロスの観点から販売や購入の方法を見直す時期が来ているといえよう。

5 2府4県民のリアルを突く！

たとえば――

「関西人は派手好き」は間違っている？

Kansai

デパート好きな京都人、スーパー好きな滋賀人?!

関西のデパート（百貨店）数は2022年の段階で42店舗。昭和や平成時代よりは減少傾向にあるという。そんな百貨店との付き合い方にも関西各地で個性がある。まず大阪人は、私物をデパートで買うことはめったにない。流行に敏感でブランド物を好むのだが、合理性を重んじる一面があるので日用品は「安くてよい物」を求めがちだ。

したがって、高級なデパートで自分の物を購入することは少ない。買い物をするとしたら、もっぱらプレゼントや来客用の品々である。なお、「大阪人はデパートでも値引き交渉をする」といわれているが、半分本当で半分はウソと捉えていただきたい。

大半の買い物をデパートで済ますのが京都人だ。「京都の着倒れ《きだお》」というように、京都の人々は価格よりも質を重視する。特に服や装飾品は、よい物と思えば躊躇《ちゅうちょ》せずに買う傾向が強い。無駄遣いを嫌う一面もあるのだが、こだわりも強い京都人は、よい品の多いデパートを愛用しがちなのである。

兵庫県民は、自分に本当に合ったものや店だけを好む傾向が強くデパートも気に入った店を大事にする。デパートの使い方を見ても、これだけの個性があるのだ。

ではそれ以外の県はというと、滋賀県では平和堂のスーパーを愛用する。平和堂は1953年に夏原平次郎がマルビシ百貨店内に開店した商店から始まり、現在は関西・中部各所にも展開する総合スーパーだ。衣類や家具も扱うので、日常品はこの店だけで事足りる。

和歌山県では総合スーパーのオークワにいくのが定番だ。ただ、近年ではイオンなどの大手スーパーの進出やネット通販の発達で、地域スーパーは苦戦を強《し》いられている。それはデパートも例外ではない。和歌山市にはかつて丸正《まるしょう》百貨店というデパートがあり、「丸正あってのぶらくり丁《ちょう》」と呼ばれる町の顔だった。しかしバブル崩壊の影響を受けて2000年に破産。ちなみに和歌山市には髙島屋も出店していたが、2014年に閉店している。

兵庫県の百貨店といえばヤマトヤシキだ。姫路市に本社をおきつつ加古川市にも出店していたが、経営悪化で2018年までに両店舗ともに閉店。百貨店としては終了し、2023年に姫路市で小型店舗を再出店させている。また、大阪発祥の有名百貨店そごうも、2020年の神戸西神店閉店で関西圏から姿を消している。

Kansai
関西人ゆえ「阪神かオリックスのファン」とはかぎらない

「関西といえば阪神ファン！」

そんなふうに思い込んでいる人は多いかもしれない。しかし、それは固定観念であって、必ずしも関西人だから阪神ファンとはかぎらない。

1980年代後半まで、関西には4球団が存在した。セ・リーグの阪神タイガースとパ・リーグの南海ホークス、阪急ブレーブス、近鉄バファローズである。球団名を見ればわかるが、関西大手私鉄のなかでは、京阪を除いてすべてプロ野球球団をもっていたのだ。

しかし、南海は1988年にダイエーへ身売りしてフランチャイズは福岡へ、翌年、阪急はオリックスに買収され、近鉄は2004年に、このオリックスと合併する。現在、関西をフランチャイズとするのは、阪神とオリックスだけだ。

であれば、関西のプロ野球ファンは阪神とオリックスに2分されるとも考えられそうだが、そうでもない。未だに根強い人気なのが福岡ソフトバンク。南海時代からのファンが多く、ファンが集う店には南海ホークスの球団旗などが飾られ、大阪ドームでソフトバンク主催のゲームがあるときは南海時代の応援旗がひるがえったこともあった。

しかし、ホークスが大阪を離れて30年以上。当時の野球少年も立派なオッサンとなり、若い世代には南海ホークスのことを知らない人も増えつつある。

4球団時代であっても、プロ球団があったのは大阪府と兵庫県だけだ。したがって、大阪と兵庫の住民は、いずれかの球団のファンだった人が多かった。ただ、現在の兵庫では、大阪よりもオリックスファンが多いという。まだ神戸に本拠地を置いていた時代、阪神淡路大震災後に「がんばろう神戸！」を旗印にし、イチローが大活躍して優勝した記憶が強く残されているためかもしれない。

では、ほかの府県はどうなのか。関西で人気なのは圧倒的に阪神なので、どの府県でも阪神ファンの数は多い。奈良県では阪神ファンと、近鉄沿線が多い影響から近鉄時代からのバファローズファンも少なくない。和歌山は阪神と南海だったが、大阪人ほどソフトバンクファンがいるわけではない。意外なのは京都で、巨人を応援する人が多い。これは「アンチ大阪という意識から」ともいわれている。

もっと意外なのは滋賀県だ。特に北部には中日ファンが多いのだ。これは岐阜県と接していること、そして中日新聞や中日スポーツの販売エリアであることが影響している。

さらに滋賀県には西武ファンも多い。その理由は、滋賀県内を走る近江鉄道が西武グループであること、近江鉄道の車両は西武鉄道の中古が使われることがあり、ライオンズカラーやレオマークが施されていること、西武グループの創業者である堤《つつみ》康次郎《やすじろう》が滋賀県出身であることが挙げられる。

「関西人との会話ではきつねうどんとお好み焼き、そして阪神をほめておけば間違いない」との言葉も耳にするが、これも誤解であることは確かなのだ。

Kansai

「関西人は派手好き」は間違っている？

大阪人は派手好きだ。これは定説どおりなので、いかんともしがたい。だからといって、関西人がすべて派手というわけではない。

大阪人が派手好みなのは、「目立ってなんぼ」という意識があるからだ。そもそも商売人の町なので、人より抜きん出ていることが求められる。没個性では客から相手にしてもらえず、商売に関わるのだ。「生き馬の目を抜く」ともいわれる商いの世界では、派手な装いで自己アピールする必要があったのだ。

同じように派手好みなのが和歌山県民だ。ただし、大阪のように「商売がらみ」という理由ではない。和歌山は大阪に近いため、それなりの影響を受けている。県民が大阪の繁華街に遊びにいったとき、派手な装いを見て「あれが都会のファッションっていうもんけぇ」と、マネをしてしまうのは当然だ。また、和歌山への観光客も大阪人が多かった。影響を受けるのは仕方のないことだ。

さらに和歌山は、紀州徳川のおひざ元という歴史がある。和歌山市は関西屈指の大都市だった時代もあり、経済的にも潤っていた。金銭的な余裕が服装などにつぎ込まれ、派手になるのも無理はない。

そのうえ和歌山は、全国でも有数の移民送出県だったという過去がある。アメリカやカナダにわたった人が多く、日本に帰ってきたときは海外の衣装を身に着けている。これに触発され、日本では派手とされる服装がもてはやされたのだ。

派手ではないが、ファッショナブルなのが神戸っ子であり芦屋や西宮、宝塚の住民だ。比較的裕福な人が多いこれらの地域では、ファッションに関して金に糸目をつけない。しかも、周りの人がオシャレなので感化されてしまう。そして、親の代からひいきにしているブティックの1軒や2軒は確保しているし、百貨店の常連でもある。ユニクロやしまむらの名前は知っていても、そこで服を買おうなどとは微《み》塵《じん》も思わないのだ。

質素な装いが多いのは滋賀県と奈良県。そして、ここでも他府県と大きな違いが見られるのは京都である。

京都の人は大阪人のようなケバケバしさを毛嫌いする。また、神戸っ子のようなブランド志向でもない。「みやび」と「わびさび」と「伝統」を重んじるのが京都人。そのため、「長いお付き合いのお店」を大切にし、親のアドバイスも素直に受け入れる。女性なら、母親や祖母から受け継いだという衣装を身に着けることもある。また特別な日と日常、いわゆる「ハレとケ」の区別を大事にするので、普段着と晴れ着の違いも明確だ。

「いやあ、大阪の人は、いつ見てもお祭りみたいどすなぁ」

大阪人が、ヒョウ柄の上下を着て京都に行けば、そんな嫌みのひとつもいわれそうだ。

Kansai

大阪人が「ブランド品を好む」のは自信がないから

大阪人は派手好みであるとともにブランドが大好き。シャネルやエルメス、フェンディやディオールなどの高級ブランドも大好きだが、さほどでもないブランドでも、ついつい選んでしまう。そのため、かつてミキハウスやミチコ・ロンドンが流行《はや》ったとき、街中にロゴの入ったTシャツやトレーナー姿が氾濫《はんらん》していたことがある。

大阪人がブランド好きなのは、センスに自信がないからだ。ブランド物であれば間違いはない。支払った金額に応じた価値がある。そんな意識がある。しかも、目立つのを好む傾向があるものの、意外に人目を気にしてしまう。

矛盾しているように思えるが、地元意識が強いため突飛なことを控えたがるのだ。周囲に迎合しつつ、少しだけ違いを見せる。それが大阪人にとっての「目立つ」ということであり、派手な装いは「周囲とちょっとだけ」が徐々にエスカレートしてしまった結果でしかない。

ブランドといえば、何といっても神戸と阪神間のマダムやお嬢様である。ただ、彼女たちにとってのブランドとは、個性を発揮するための手段でしかない。つまり、ブランドのもつ特徴を完全に把握しているし、個人的な評価もする。高級ブランドであればどれでもいい、という意識はない。

「わたしはシャネルよりもグッチが好き」「バッグはやっぱりヴィトンだけど、それ以外はねぇ」というふうに好みもはっきりとしている。それを知らない大阪の男性が、「これ、似合うと思て買うてきてん」と芦屋の女の子に高価なブランド品をプレゼントしても、「わたし、このブランド嫌いなんよ」と突き返されるのがオチだ。

ブランドにこだわらないのが京都人だ。「いいものはいい、悪いものは悪い」がはっきりしている京都の人は、それがブランド品であれ小さな個人店で売られているものであれ、自分さえ気に入れば大丈夫。

さらに信頼を重視するので、聞いたこともないブランドには手を出さない。「舶来もんのブランドより、西陣《にしじん》の織物のほうがよろしおすえ」というわけだ。

そのうえ選択眼も養われているし、自分に似合う似合わないを熟知しているため、誤った買い物をしてしまう可能性も低い。ただ、品定めをじっくりとするので、買い物の時間は長い。

その他の県は、ブランドに憧れをもっているが、なかなか手が届かないというのが実情だ。お金の問題ではない。近くにブランドを扱う店がないからだ。実物にはなかなかお目にかかれないので、ネットで購入するのもためらってしまう。

各地にアウトレットモールは展開されているものの、ブランドは限定されてしまうし品ぞろえも寂しい。お目当てのブランドのお目当ての品を探そうとなれば、都心に出向くしかない。ちょっと悲しい。

Kansai

流行に敏感な大阪人が保守的になるものは?

ファッションにおいては保守的な京都人と神戸人。みやびとモダンという違いはあれど、流行りに流されることは少ない。大阪人は流行に敏感であり、常に周囲を見回して自分がどの位置にあるのかを気にしてしまう。では、ファッション以外ではどうかというと、意外な傾向が見え隠れしている。

流行りを気にしないのは神戸人だ。流行は自分たちがつくって発信するものだという意識があるため、追いかける必要がない。もしくは、世間の流行は自分たちをマネして成り立っている、という意識が強い。

「東京では、今頃あんなんが流行ってるんやて」とか、「いくら東京で流行ってても、うちらはちょっとマネできひん」という気持ちがある。その表れの1つが、女子中高生のスカートの長さだ（87ページ参照）。

いくら全国的にミニスカートが流行ったといっても、神戸の制服のスカートは長いままだ。大学生や社会人になっても、それぞれがそれぞれに似合った装いをする。阪急神戸線に乗ったりすると、センスは違えども全員がオシャレでキレイ、という女性グループに出くわすことも頻繁《ひんぱん》にある。

スイーツなども同じで、「インスタ映え」などほとんど気にしない。自分で決めるか家族の意見に従うか、地域や学校など自分が属するコミュニティの意見で判断する人が多い。

大阪人はオシャレに関して流行りに敏感だが、かなり保守的なジャンルがある。それは「食べ物」だ。特にタコ焼きやお好み焼きといった粉モンは、自分が気に入った店以外見向きもしない。道頓堀などの、いわゆる有名店で行列に並んでいるのは観光客がほとんどであり、味付けもスタンダードを好む。「タコ焼きにチーズは、ちょっと受け付けられへん」という意見も少なからず存在する。

メニューに関しては、粉モンと並ぶ大阪のソウルフード「うどん」も同じ。きつねうどんか肉うどんなど一般的なものを注文するため、メニューは品物を選ぶのではなく値段を確認するためのものという考えがある。近年、大阪発祥のメニューとして「スパイスカレー」なるものも取りざたされているが、そもそもカレー粉は数種類のスパイスをブレンドしたもの。「新しい」というよりも、既存のカレーをアレンジしたに過ぎない。

服装以外の流行に敏感で、新しいもの好きなのが京都人だ。そもそも京都は、明治維新以後に率先して近代化を推し進めた歴史がある。その行程のなかで、内外の新しいものをどんどん受け入れていった。さらに、人口の約10パーセントが学生という若い町でもある。したがって、流行りを受け入れる条件が整っている。

ラーメンやスイーツなどで、新しいメニューが開発されるのも京都が多く、ちょっと変わったシステムの店も京都発祥の場合が多い。80年代初頭に一世を風靡《ふうび》した「ノーパン喫茶」も京都発祥説があるほど。京都の意外な一面だといえなくもない。

Kansai
関西の「天気予報の区分け」は季節で変わる

気象庁は関西（近畿地方）を、北部、中部、南部に区分した気象情報を発表する。関西在住者はもちろん、観光や出張などで訪れる人も気になるところだ。

だが、この「北中南」の区分（予報区）が、どの地域に当てはまるか勘違いしている人は多い。「オレとこは大阪市内やから中部」「うちは和歌山市やから南部やろなぁ」というふうに関西を3等分して認識している人がほとんどではないだろうか。

関西の全域地図を見れば、大阪府がほぼ中央に位置する。そのため最北端の大阪府能勢《のせ》町より北が北部、最南端の岬町から南が南部と思っている人がほとんどかもしれない。しかし、それは大きな間違いだ。

近畿を気候で区分すると、北部は冬に大雪、夏にフェーン現象などで猛暑に見舞われることの多い日本海側気候地域を指す。中部は1年を通して晴天が多く、降水量の少ない瀬戸内式気候と内陸性の気候地域。そして、多雨地帯で太平洋側気候と山岳性の気候の特徴をもつエリアが南部である。

自治体でいえば、兵庫県の豊岡市や京都府の京丹後市などの地域が北部、和歌山県の田辺市や奈良県の十津川村などの紀伊山地より南が南部、それ以外が中部となるのだ。

ただし滋賀県は例外で、春から秋の暖かい時期は全域が近畿中部となるが、秋から春の寒い季節は県北部が近畿北部となってしまう。

夏場は全域でさほど天気に差がないものの、

天気予報の近畿地域の区分エリア

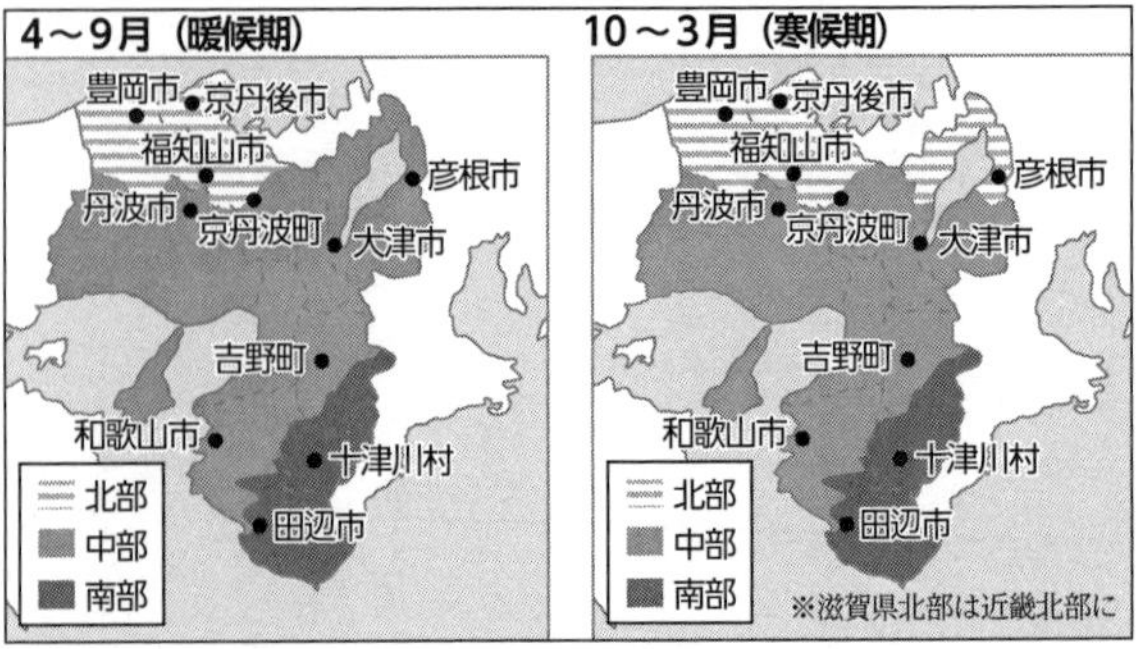

※参考:産経新聞電子版
https://www.sankei.com/article/20230215INFUANCPQFJZFCJ4UGGRDRDYFU/

冬場の県北部は降雪量が多くなるのが理由で、全国唯一ともいわれる特徴らしい。

これらをまとめると、近畿北部とは京都府北部、兵庫県北部と10月から3月頃までの滋賀県北部。中部は大阪府全域、京都府南部、兵庫県南部、奈良県北部、滋賀県南部、和歌山県北部と4月から9月頃までの滋賀県北部で、南部は奈良県南部、和歌山県南部となる。

したがって、近畿北部が晴れて南部が雨という予報でも和歌山市に雨は降らず、北部が雪との予報でも京都市や大津市も雪だということにはならない。予報区はあくまでも、気候の特徴で分けられるもの。地形や海からの距離は大きく反映されるが、単純に緯度の高低で区分されるものではないのだ。

Kansai

「神戸ナンバーの黒い外車には注意」は過去の話

一般財団法人自動車検査登録情報協会によると、2021年3月までにおける日本全体の乗用車保有台数は6170万3226台。世帯数は5949万7356世帯なので、世帯あたりの普及率は1・037パーセントとなっている。1世帯につき1台以上はある計算だ。

関西の府県別に見ると、第1位は滋賀県だ。普及台数は81万1106台。世帯数は59万6167世帯なので、1世帯につき1・36台となる。全国的な順位も第20位である。次いで多いのは和歌山県。44万2178世帯に対して普及台数は54万3387台、1世帯あたり1・229台で全国第31位。

その次は全国第38位の奈良県。世帯数60万1195世帯につき普及台数は65万1919台となる。台数こそ和歌山県を超えてはいるが、世帯割合は1・084台と少ないのでこの順位となっている。

関西で普及台数が少ないのは、京都府、兵庫県、大阪府。京都府は123万1277世帯につき99万7650台、兵庫県は257万4868世帯で231万5188台、大阪は439万1310世帯で277万9374台である。世帯ごとの普及率に換算すると、京都は0・81台の全国44位、兵庫は0・899台の43位、大阪は0・633台の46位だ。

都市部ほど地下鉄やバス交通網が発達し、本数もかなり多い。タクシーの乗車も容易である。これらを利用すれば移動にはあまり不便がなく、実際京都や兵庫の都市部の人々はバスや地下鉄をよく用いる。

また、都市部は交通量も多いので渋滞が発生しやすい。特に京都では観光客の車も多く走り、バスの便も多く、道路の幅も狭いために渋滞しがちだ。自動車を使わないほうが移動しやすいことも多いのだ。

これに対して地方では、土地の広さに比べて公共交通機関が少なく、乗用車は生活に必要な「足」となっている。このため、都市部ほど乗用車の普及率が低く、地方では高くなっている。兵庫が京都や大阪よりも多いのは、阪神間以外は車がないと不便だからだ。

とはいえ、都市部の人間が車を買わないわけではない。特に大阪人は、車をステイタスシンボルとして買う。そのため、高級外車や大型のミニバンを購入する。自動車は移動のための手段ではなく、「見栄」のための道具なのである。

なお、一時は「神戸ナンバーの黒い外車には注意」という囁《ささや》きが、関西で流布《るふ》したことがある。日本最大の暴力団組織が本部を構える神戸の大型車、特に黒いベンツが御用達《ごようたし》だった時代の話だ。

現在はこれらの車に乗っていると、必ずといっていいほど警官に停められるため、関係者は別の車に乗り換えているという。それは黒いプリウス。もしくは利便性を考えて、ミニバンが普及しているともいう。

車種ではないが、姫路では車のナンバープレートに「4183」の番号を選ぶ人が多いという。これは「灘《なだ》のけんか祭り」で屋台を担ぐ際、「よーいやさー」という掛け声をかけるため。「よーいやさー＝４１８３」というわけだ。

Kansai

関西人は一戸建てとマンション、どっちを選ぶ？

「一戸建てに住むべきか。それともマンションで暮らすべきか」

関西のみならず、全国視野で見ても悩む人は多いだろう。特に近年は都会回帰が著しく、マンション人気が高まりつつある。それは関西も同じであり、郊外の一戸建てより都心のマンションを選ぶ人の数は増加傾向だ。だが、ここにも地域によっての違いがある。

「都心回帰」なのだから、大阪、京都、神戸の「関西三都」以外の人は地元を離れる必要がある。転居が可能であれば「憧れの都会暮らし」もいいのだが、そうはいかない人も多いのが実情だ。

一戸建て志向が強いのは滋賀県民だ。滋賀県の１世帯における人員数は２・４４人（２０２０年現在）と関西では最多。それだけ大家族が多いということだ。２世代、３世代同居も珍しくないため、マンションで暮らすのはむずかしい。また、滋賀県は土地が広く、比較的安価なこともあり一戸建てを建てやすい。そのため、マンションは学生や単身者の仮住まいという意識がある。婚約が決まってまずおこなうことは、新居用の土地を探すことだともいわれている。しかも、生活には夫婦それぞれの自家用車が不可欠なため、2台以上が停められる駐車場を確保しなければならないという事情もあるという。

同じく一戸建てを好むのは和歌山県だ。滋賀県と同じく大家族が多く、しかも交通アクセスが不便。加えて土地も安い。「どうせ住むんやったら、一戸建てにしよら」ということで、立派な家を建てる。また、紀北地域は大阪のベッドタウンとして開発されてきたため、郊外型の一戸建てが軒を連ねている。そのため、和歌山市内を歩いてみてもタワーマンションはおろか、低層マンションも少ない。

「一戸建てを建てる人が多いから、マンションが少ないのか。マンションが少ないから、一戸建てを建てるのか」。和歌山では、前者のほうだと考えられる。

奈良県も比較的、一戸建て志向である。ただし、奈良市や生駒市などの北部ではマンションも多い。住んでいるのは、主に大阪へ通勤する人たちだ。小家族だし、交通の利便性も高いため普段は車を使うことも少ない。子どもが独立すれば、売却してより便利なところに住み替えるのもいい。そんな考えには、マンションのほうが向いているのだ。

マンション志向が高いのは大阪人だ。利便性を最優先する大阪人は、郊外の一軒家よりも都心のマンションを選びがち。ただし、それは北部や大阪市内の住民にいえることで、南部は少し異なる。泉州や河内といった地域の人は、家と車にお金をつぎ込む。立派な家に住み、大きな車に乗ることがステイタスとなるからだ。いわば、自動車同様「見栄の対象」である。

兵庫県でも阪神間はマンションを好む。しかも高級志向。芦屋や西宮、東灘の高級住宅地は、大豪邸が立ち並ぶ。

住まいの好みで特徴的なのは、やはり京都だ。京都でも市内以外は高層マンションが建ち、地域によっては一戸建ても多い。しかし京都市は規制があって、30メートル以上のビルは建てられない。階数にすれば10階程度だ。

さらに京都洛中の人は、古いものを大切にする傾向があるし景観を大切にする。真新しいマンションを建てようとしても住民から反対されるのは目に見えているし、そんな無粋《ぶすい》なところに住もうとも思わない。

ただ、古いものを大切にしようとしても、京都の町家も築100年を超えるところが多くなっている。手入れも大変だし、建て替えるのも大ごとだ。そのため、景観に合わせた低層マンションも増えつつある。さらに、規制の緩和も取りざたされているのだ。

そうなると、マンション住まいを選ぶ人も多くなってくる気配はある。「京都は町家のたたずまいがいいのに」というのは、ほかに住む人の意見でしかないのだ。

Kansai

関西流、これが金融機関との付き合い方

現在、日本の都市銀行といえば3大メガバンクの三菱ＵＦＪ銀行、みずほ銀行、三井住友銀行と、りそなホールディングス傘下《さんか》のりそな銀行と埼玉りそな銀行をいう。

このうち三井住友銀行に合併された住友銀行と神戸銀行、三菱ＵＦＪ銀行の三和銀行、りそな銀行の大和銀行は関西を拠点としていた。

特に住友銀行は旧財閥の流れをくむ大阪を代表する銀行であり、現在も大阪府下の企業がメインバンクとするのは三井住友銀行がトップ。兵庫県も神戸銀行からの付き合いで、三井住友銀行をメインバンクとする企業が多い（帝国データバンク全国企業「メインバンク」動向調査 ２０２２より。以下同）。

ただ、そのほかの府県を見ると、京都府は京都銀行、滋賀県は滋賀銀行、奈良県

は南都銀行、和歌山県は紀陽《きよう》銀行と地方銀行に偏《かたよ》っていく。ちなみに全国のトップは三菱UFJ銀行で、2位は三井住友銀行、3位はみずほ銀行、4位はりそな銀行である。

ただし、大阪の場合は三井住友銀行がシェア16・99パーセント、兵庫で19・3パーセントなのに対し、京都で京都銀行が占める割合は31・79パーセントで、滋賀県は滋賀銀行が58・94パーセントと6割近くとなり、奈良県の南都銀行は61・2パーセント、和歌山県の紀陽銀行は63・52パーセントと他行を寄せ付けない状況だ。全国的に見ても、シェアが6割を超えるのは5県しかない。

ただ、滋賀や奈良、和歌山にはメガバンクの店舗数が少ないという現状がある。そのため、地域密着型の地方銀行か信用金庫に頼らざるをえないという理由が大きい。しかし、関西三大都市の京都市を有する京都府では事情が異なる。

メガバンクのなかで京都府内の三井住友銀行の店舗数は5店舗だが、三菱UFJ銀行は31店舗。みずほもりそなも1桁台なので、都市銀行のなかでは三菱UFJの店舗数が際立って多い。これは、大阪資本の住友銀行との取引を京都の商人が避けたためともいわれている。

さらに京都の特徴としては、やはり地元重視。京都のメインバンクは京都銀行の次が京都中央信用金庫、3位が京都信用金庫であり、この3行で全体の7割を占めるという。

さらに、京都の新興会社が創業する際、その歴史の浅さから都市銀行から融資を断られたこともあるという。任天堂にしても、明治時代創業と歴史は古いがもとは花札やトランプを製造販売していた京都の会社だ。都市銀行は二の足を踏んだとされ、世界的企業となった今も地元の銀行と取引をしているのだ。

Kansai

京都の西京極が京極の西隣ではない謎

関西には「私市《きさいち》」(大阪府)「膳所《ぜぜ》」(滋賀県)「宍粟《しそう》」(兵庫県)などの難読地名があり、京都には「天使突抜《てんしつきぬけ》」といった特徴的な地名や「京都府京都市東山区三条通南二筋目白川筋西入ル二丁目北木之元町」という長い住所も存在する。

これらのほかにも、あまり知られていない地名の特徴を紹介したい。

大阪府には「柏原市」という自治体があり、読みは「かしわらし」だ。しかし、兵庫県丹波市の「柏原町」は「かいばらちょう」、京都府亀岡市の「柏原」は「かせばら」で、滋賀県米原市の「柏原」では「かしわばら」と読む。ちなみに奈良県橿原市は「かしはらし」だ。

同じような地名なのに、場所が全く違うというところもある。大阪府大東市には「住道」という地名があり、JR片町線にも同名の駅がある。ただ、似た名前の「住道矢田」は大阪市東住吉区。直線距離で約15キロも離れている。

ちなみに住道矢田の読み方は、大東市の「すみのどう」とは違って「すんじやた」である。

注意が必要なのは京都の「京極《きょうごく》」だ。京極寺町商店街や新京極商店街は、京都市中京区にある。

しかし「西京極」は右京区の地名だ。距離にして約6キロ。そもそも京極とは「京都の端」という意味で、中京区の京極は東、西京極は京都の西の端を意味する。「西京極だから京極の西隣にあるだろう」と思う人もいそうなので注意が必要である。

同じ「京の端」という意味なら「京終」という地名・駅名がある。読みは「きょうばて」。ただし、この場合の「京」は京都の平安京ではなく平城京。JR桜井線の駅も奈良市南京終町が所在地だ。

地名ではないが、住居表示に特徴のあるのが姫路市だ。姫路市白浜町や阿保、西《さい》庄《しょう》では数字だけでなく「甲乙丙《こうおつへい》」の漢字が用いられる。具体的には「兵庫県姫路市白浜町甲123－○」という表示になる。ただし住所に甲乙丙が使われるのは、姫路のほかにも石川県や千葉県でも見られる。

住居表示に漢字が使われる特例的な場所が、大阪市に鎮座する坐摩《いかすり》神社。所在地は大阪市中央区久太郎町4丁目渡辺3号。つまり「渡辺」が数字の代わりに使われているのだ。

もともと神社の境内は東区渡辺町だったのだが、南区と東区の統合で中央区が成立したとき地名変更で町名がなくなることになった。

これに全国の渡辺さんの団体である「全国渡辺会」が、「渡辺姓」のルーツである渡辺町の消滅に対して反対を表明。市は苦肉の策として、番地に「渡辺」の名を残すことにしたのだ。

同じ大阪府の堺市は、「1丁目」「2丁目」ではなく、「1丁」「2丁」と表記する。明治時代の1872年に江戸時代の町名が改正され、独立した24町名の代わりに市街の中央を通る大道筋を境に○○町東1丁、東2丁、西1丁、西2丁というふうに整理された。

つまり、それぞれ独立した町が東1丁、西2丁となったため、町そのものを区分する「丁目」はなじまなかったとされる。堺市の知人に手紙を送るときはご注意を。

Kansai

関西人が好む「進学先」と「就職先」はどこ？

関西の有名大学といえば、国公立では京都大学、大阪大学、神戸大学、大阪公立大学、私立なら同志社大学、関西《かんせい》学院大学、立命館大学、関西大学と甲南大学、龍《りゅう》谷《こく》大学、京都産業大学、近畿大学といったところだろう。

ただ、これらの大学のメインキャンパスは、いずれも京都府、大阪府、兵庫県にある。その他の県に第2、第3のキャンパスをおく大学もあるが、学部はかぎられてしまう。つまり、いわゆる有名校に進学しようと思えば、2府1県以外の高校生は県外の大学を選ぶ必要があるのだ。

そのほかの県では、国立なら滋賀県の滋賀大学と滋賀医科大学、和歌山県の和歌山大学、奈良県は奈良教育大学と奈良女子大学がある。ちなみに奈良県には、国立の奈良先端科学技術大学院大学があるが大学院に特化した大学であり、奈良大学は私立である。

では、これらの大学は地元の学生が多いのかというと、そうでもない。確かに滋賀大学は、ほとんどが滋賀県下の高校出身者で占められている。しかし、奈良教育大学は奈良と大阪の出身者が拮抗《きっこう》し、奈良女子大学は出身校のランキング1位が大阪府の私立四天王寺高校。四天王寺高校は、中高一貫教育を主軸とした関西女子校でもトップクラスの難関校である。そのため、生徒は卒業しても女子校を選ぶ傾向にあり、関西唯一の国立女子大学を目指す生徒も多いのだ。

地元と地元以外が逆転しているのが和歌山大学だ。出身校の1位と2位こそ和歌山県の高校だが、3位以下を見ると大阪府が多い。全学生数も和歌山県民より大阪府民が上回っているのだ。

和歌山大学は大阪府と接する和歌山市の北端に位置し、南海本線にも「和歌山大学前」という駅がある。そのため大阪府からのアクセスはいい。私立より国公立に進みたいが、阪大や大阪公立大学はレベル的に難しい、という大阪の学生が希望するわけだ。また、和歌山大学は南大阪の大学と連携する「南大阪地域大学コンソーシアム」に参加。大阪府岸和田市とは地域連携推進協定を結び、サテライトも設置している。

大学を卒業すると学生たちは社会人となるわけだが、就職先のほとんどは大阪市、京都市、神戸市となる。特に大阪は関西随一《ずいいち》の大都市であり、企業の数も多いので、多くは大阪市内で働くことになる。県別で見ると、奈良県民と和歌山県民は大阪市の職場を選び、滋賀県民は京都市か大阪市だ。
ただ、京都市の人は進学も就職も地元の人が多い。大学はもちろん、企業の数も多いためだろうが、「わざわざ大阪くんだりまでいかんでも、京都で十分どす」というプライド意識の表れかもしれない。

Kansai

関西の高校の「進学校」ランキング

東京でいえば、開成、日比谷、筑波大付属などが、東大合格者を輩出《はいしゅつ》している進学校といえよう。当然、関西にも進学校はあり、東大への進学率でいえば、有名なのが兵庫県の私立灘《なだ》高校だ。

関西の高校ながら東大合格者数では、常に上位にランキング入りしている名門中の名門。2001年にはOBの野依良治《のよりりょうじ》氏がノーベル化学賞を受賞し、「関西で最強の進学校」の名を不動のものとした。

大阪府の進学校といえば、天王寺区にある大阪星光学院の名が挙がる。私立の男子校で、中高一貫教育を基本としているため、高校生は内部進学者がほとんど。東大や京大への合格者数ランキングは比較的低いが、これは各学年の定員が200人という少なさが原因であり、卒業生の約半数が京都大学、東京大学、国公立大学医学部医学科に進学している。

大阪の公立高校では北野高校が有名だ。創立は1873年で、旧大阪府第一番中学。東京最古の旧制東京府立一中（現日比谷高校）より5年早い。名門大への進学率も高く、東大合格者は14人と控えめだが、これは関東圏の大学を敬遠する伝統が影響しているという。

ほかの大阪の進学校といえば、私立では清風南海《せいふうなんかい》、明星《めいせい》、女子校の四天王寺など、公立では天王寺、三国丘《みくにがおか》、大手前などが有名で、北野と天王寺に大手前を合わせて「公立御三家」と呼ばれていたこともある。

兵庫県だと、灘高のほかでは白陵《はくりょう》高校、須磨学園高校や関西《かんせい》学院といった私立高校があり、公立だと県立姫路西高校は現役の6割強が国公立大へと進学。戦後の姫路市長はすべて姫路西のOBだという。長田高校は2020年度に東大・京大合計30人以上を合格させ、神戸高校も京大、阪大、神大合格の常連校だ。

京都府は私立洛南高校を筆頭に、京都市立堀川高校、私立の洛星《らくせい》高校、嵯峨野《さがの》高校、市立の西京高校に大学系列の同志社高校、立命館高校、府立桃山高校の偏差値と進学率は高い。

奈良県では、西大和学園高校と東大寺学園高校が東大への進学者も多い。公立では奈良市の奈良高校、橿原市の畝傍《うねび》高校、大和郡山市の郡山高校などが覇《は》を競う。

和歌山県では旧和歌山中学の県立桐蔭高校が県内でもっとも歴史が古く、進学実績も高い。旧中学・女学校の流れをくむ向陽、星林といった和歌山市内の高校が有数の進学校だが、智辯《ちべん》学園和歌山、開智《かいち》、近畿大学附属和歌山といった私立高校が、和歌山県では進学実績を上げている。

そして滋賀県の名門進学校といえば県立膳所《ぜぜ》高校である。文部科学省のスーパーサイエンスハイスクールの一校に認定されただけでなく、卒業生の4人に1人が東大、京大、阪大などの国公立大に現役合格している。あとには、彦根東高校、石山高校とつづき、私立では立命館守山や比叡山高校の名も上がるが、県立高校が強いのが滋賀県の特徴といえよう。

Kansai
関西の「難関大学」ランキング

文部科学省の令和4年度学校基本調査では、日本全国の大学数は807校。そのうち関西は大阪58校、京都34校、兵庫35校、奈良11校、滋賀9校、和歌山5校となっている。

それらの大学のなかで、もっとも有名といえるのが国立京都大学だ。東京大学と並ぶ超難関大学で、自由な校風に見合った学生を獲得するため、高校生活や学習意欲などを総合評価する「特色入試」を実施しているのも特徴だ。また一般選抜志願者数も、関西国公立大のなかではトップクラスである。

　これにつづくのが京大と同じく旧帝国大学を前身とする大阪大学（阪大）だ。近年では海外との関係にも力を入れ、２０２１年には箕面《みのお》市の外国語学部キャンパスを同市内に建設中の箕面船場《せんば》阪大前駅東側に移転。世界に日本文化を発信する拠点とし、留学生と市民の交流を強めるとともに、国外から優秀な学生を集める計画を立てている。ちなみに阪大の外国語学部は旧大阪外国語大学で、移転前の箕面キャンパスも元々は大阪外大の敷地だったものだ。

　その次が国立神戸大学。１９７８年まで国立大が一期校と二期校に区分されていたなかで、神戸大学は一期校に分類。２０２０年にはＳＤＧｓ推進室を設立したことでも話題となる。この3大学が、いわゆる「関西難関三大学」であり、奈良の奈良女子大を除けば滋賀大学や和歌山大学などの国立大学は旧二期校となる。

　関西の私立にも、東京の「早慶上理」「ＭＡＲＣＨ」「日東駒専」のように、大学群の略称がある。それが「関関同立」と「産近甲龍」だ。関関同立とは関西学院大学、関西大学、同志社大学、立命館大学の略称。このなかでトップクラスなのは同志社大学である。

産近甲龍は京都産業大学、近畿大学、甲南大学、龍谷大学の略称で、関関同立も産近甲龍も4大学のうち、2校が京都の大学となっている。

公立では、近年話題となったのが大阪公立大学だ。これは大阪府と大阪市の二重行政解消のため、2022年に大阪府立大学（府大）と大阪市立大学（市大）が合併して設立。学部生と大学院生の総数は約1万6000人となり、公立大学としては日本最大の規模である。

ただし、同大学に開設前の学生が在学するかぎり、府大も市大も存続することになっている。もし在学生が一人でも留年を繰り返せば、どちらの大学も残される。府大・市大の命運は、学生が無事に卒業できるかどうかにかかっているのだ。

Kansai

三重県と奈良県の境に和歌山県の村がある

全国の市や町の一部が飛び地となっているケースは珍しくないが、村そのものが飛び地となっているのが和歌山県北山村だ。北山村は和歌山県唯一の村でもあり、しかも県内のどの市町村とも境界を接していない。

つまり、和歌山県でありながら三重県と奈良県に囲まれて位置しているのだ。さらに約48・2平方キロという面積も、県の飛び地としては日本で最大である。

北山村は昔から林業の村として知られ、明治中期までは七色、竹原、大沼、下尾井、小松の5つの村に分かれていた。

村々は近隣の新宮《しんぐう》から林材業者を呼び込み、良質な吉野杉を河川で運ぶことで生計を立てていた。

村民の大半がイカダ師だったといわれるように、新宮と村は強い共生関係にあったのだ。そして、この新宮との関係こそが、北山村が飛び地になった理由でもある。

1871年の廃藩置県で和歌山県が成立すると、新宮は県内の自治体となった。すると、江戸時代に新宮藩の藩領であった北山村界隈《かいわい》の村民の間に、奈良県や三重県ではなく和歌山県への編入を求める声が生まれる。

これが認められて和歌山県となり、1889年には5つの村が合併して北山村が誕生したのだ。

ただし、この説を裏付ける史料は残っていない。そのため山や谷などの自然環境を基準に区域を分けた際、「政府に存在を忘れられた」というユニークな説もある。

さらには、和歌山県と奈良県は紀伊国と大和国の国境で区切られたにもかかわらず、和歌山県と度会《わたらい》県（現三重県）は熊野川と支流の北山川を境とした。そのために、地域の声を全く無視して北山村が和歌山県になったという説もある。

時代が移って１９９９年からの「平成の大合併」では、三重県入りの越境合併が模索されたこともある。

だが村民はこの方針に反対を示し、住民投票でも新宮市との合併を選ぶ票が多数だった。しかし新宮市入りも実現せず、北山村は現在も飛び地のままとなっている。

そんな北山村と関係が深い新宮市にも飛び地がある。熊野川町嶋津《しまづ》だ。田辺市本宮町と北山村の間に位置し、和歌山県には隣接していない。

かつては玉置口村《たまきぐちむら》と呼ばれ、北山村と同じく飛び地の自治体であったが、１９５６年に玉置口村をふくむ近隣の村が合併して熊野川町が発足すると、同町の飛び地となる。

やがて熊野川町は２００５年に新宮市と合併、熊野川町嶋津は同市の飛び地となったのだ。

6 微妙に変化する！2府4県の関西弁

たとえば――

滋賀県には「ほっこり」したい人はいない？

Kansai

「だるまさんがころんだ」は、府県ごとに言い方がある！

「だるまさんがころんだ」といえば、有名な子ども遊びの一種である。後ろを向いたオニが「だーるまさんがーころんだ」と唱え、振り向かれた瞬間に、ほかの子どもは動きを止める。

ここで動いた子どもがいたらオニが捕まえ、全員を捕まえられたらオニの勝ち、近づいた子どもがオニに触れたらオニの負けという遊びである。この基本ルールは全国共通なのだが、掛け声については地域で異なる場合がある。

大阪では「ぼんさんがへをこいた」と呼ぶことが一般的だ。「ぼんさん」は「ぼうさん」ということもあり、お坊さん＝僧侶のことである。

地域によっては、この後に「におい だらくさかった」「おくさんにしかられた」とつづくこともある。

この掛け声を使う地域は、大阪のほかに京都府と奈良県、兵庫県の一部である。ほかにも大阪府貝塚市では「えびすさんタイつった」ということもある。貝塚市には7世紀の創建と伝わる高龗《たかおかみ》神社（脇浜戎《わきはまえびす》大社）があり、この神社が由来だといわれている。

これらの地域は昔から寺社が多く、子どもが僧侶に接する機会も多かった。そうした環境によって、いつも澄ました顔をしている僧侶を揶揄《やゆ》するような掛け声が定着したとする説がある。

だが、「だるまさんがころんだ」の歴史は意外と浅い。古くからあると思われがちだが、広まったのは大正時代以降とされている。なので、なぜ「ぼんさんがへをこいた」が定着したかは不明なまま。単なる10文字の語呂合わせともいわれている。

一方、和歌山県では「へいたいさんがとおる」。戦前に軍港があったこととの関連性が推測されるが、このほかにも「ひみなこと」という掛け声もある。

「だるまさんがころんだ」の呼び方は、10文字で終わるのが普通であるが、「ひみなこと」は5文字。その代わりに何度使ってもいいことになっている。10文字よりもタイミングは図りにくいが、周りは多く進めるので、オニ側に不利なローカルルールだ。なお、「ひみなこと」という言葉の意味は不明である。

このように多種多様な呼び方がある「だるまさんがころんだ」は、昭和後期からの関東文化の流入により、関西でも「だるまさんがころんだ」が主流になりつつあるという。

Kansai

救急ばんそうこう、呼び方は府県で違う

切り傷、すり傷を負ったとき、大いに役立つ救急ばんそうこう。その呼び方は、地域によって異なるものの1つだ。全国的に見ると、関東地方と近畿の2府2県、愛知、岐阜、三重、徳島、香川では「バンドエイド」がもっとも多く、次に多いのが東北6県と山梨、広島をのぞく中国地方、愛媛、高知、長崎、佐賀、鹿児島の「カットバン」である。バンドエイドの近畿2府2県とは大阪府、京都府、兵庫県、滋賀県のこと。では、奈良県と和歌山県では、何と呼ぶのだろう。

奈良県では、救急ばんそうこうのことを「リバテープ」と呼ぶ。リバテープは熊本市に本社を置く星子旭光堂（現リバテープ製薬）が、1956年に国内初の救急ばんそうこうとして開発、製品化して販売。そのため、福岡、大分、熊本、沖縄といった九州地方で呼ばれることが多い。

ただ、奈良県のリバテープは、リバテープ製薬のものとは別物だ。奈良のリバテープは地元メーカーである共立薬品工業が製造する「キズリバテープ」のこと。「キズ」を除いた略称が一般的になったのだ。

和歌山県では大阪と同じくバンドエイドと呼ぶところも多いが、「サビオ」と呼ぶ地域もある。サビオはスウェーデンにあるセデロース社のばんそうこうブランドで、日本では1963年にニチバンが提携して製造販売。その後、ライオン歯磨（現ライオン）にブランドが譲渡され、阿蘇製薬が製造を請け負う。しかし、販売量の減少により2002年に販売は終了。2020年には阿蘇製薬が北海道限定で再販売し、ネットでも購入が可能だ。

サビオという名称は和歌山のほかに、北海道、広島県、新潟県の佐渡島《さどがしま》で呼ばれているという。しかし、ニチバンとライオンの本社は東京で、阿蘇製薬は熊本県だ。和歌山とそれらの地域には縁もゆかりもない。販売網やCMの影響という説もあるが、真相は不明となっている。

ちなみに、静岡、長野、新潟、福井、石川では単に「ばんそうこう」と呼び、富山は全国で唯一「キズバン」と呼んでいるが、その理由も不明らしい。

Kansai

「ねん」「やし」「みぃ」…気になる語尾の違い

方言で関西人の出身地を知る方法として、よくいわれるのが語尾の違いだ。ただ、大阪は「だす」、京都は「どす」などとされるが、現在の大阪で「そうだす」という人はほとんどいない。

大阪弁の語尾で多く用いられるのは「や」「け」「ねん」である。これらは単独使用だけでなく、「そうや」「そうやんけ」「そうやねん」というふうに、意思表示の度合いによって複合的にも用いられる。

京都の「どす」は標準語の「です」に相当するので敬語である。そのため、親しい人に「そうどすなぁ」とはいわない。同様に「おくれやす」（ください）の「やす」や「おいしおす」（おいしいです）の「おす」も敬語。ただし、大阪の「だす」と同じく、「どす」を使うのは一部の人にかぎられているようだ。

京都の語尾で特徴的なのが「し」と「やし」。「誕生日にほしいもんあるし」や「うちは京都の生まれやし」というふうに使う。東京言葉なら「ほしいものがあるんだ」「京都の生まれなんだ」、大阪弁なら「ほしいもんあるねん」「京都の生まれやねん」となる。

つまり断定の表現なのだが語尾の発音が上がるので、「ほしいものがあるのよねぇ」「京都の生まれなのよねぇ」に近い受け止められ方をする。そのため、後に言葉がつづくような印象を受ける。だが、この「語尾のぼやかした」表現が、言い切りを好まない京都ならではといえるのだ。

関西弁で「よ」を最後にもってくるのが和歌山弁。「違うていうてらしよ」（いってるじゃない）や「この服買うてきたんよ」（買ってきたの）というふうに付ける。また、人を誘う際に「ら」を付けるのも特徴で、「いこうよ」は「いこら」、「食べようよ」は「食べよら」となる。

兵庫県も神戸などでは「よ」を付けるが、和歌山と違って「よう」と伸ばす。ただ、「よう」と「とう」の両方があり、「よう」は進行中、「とう」は完了の状態という区別がある。その日の予定をたずねて「彼氏が家に来ようから」は「彼氏が家に来るから」の意味となり、「彼氏が家に来とう」は「彼氏が家に来ているから」という状態を表している。

兵庫県や京都府の日本海側では、「ね」を伸ばす言葉づかいがある。「それがね」が「それがねぇえ」となるのだ。

甘えたような表現で女子が話すと男子受けはよさそうだが、男子受けがいいと

いえば奈良県の「みぃ」だ。これは「あのね」の「ね」に相当するもの。「あのみぃ、今度ご飯いけへん?」と誘われれば、断るのもむずかしそうだ。

この「ね=みぃ」が、滋賀県の彦根周辺では「なーし」となる。「なーし」は「まあ、申し」が縮まった語といわれ、「あの、なーし」(あのね)、「それでなーし」(それでね)という使われ方をする。

そして、滋賀県で特徴的な語尾といえば「い」。「ご飯にいこう」は「ご飯にいこまい」もしくは「いこかい」となり、「そうなんだよ」は「ほうやがい」となるのだ。

Kansai

河内弁、泉州弁、播州弁、どこがいちばんコワイ?

関西の数ある方言のなかで、特に「乱暴」「コワい」と称されるのが河内弁《かわち》だ。河内弁の代表的な特徴として知られているのが二人称。「あなた」「君」「お前」などを示す言葉として河内弁では「われ」という表現が使われ、「われは」の派生形で「わりゃ」「わら」などの言葉もある。

ほかにも「する」を「さらす」、「してるの?」を「何さらしてんねん?」となるなど、かなりきつい印象があるため怖い方言と呼ばれてしまうのだろう。

さらに、「何ぬかしとんど（何をいってるんですか）」というように語尾に「ど」をつける。「どっかいってきたん？（どこかに行ってきたの？）」が「どっかいってたんけ？」と疑問文の終わりに「け」がつく。

「もうちょっとやなぁ（あと少しですね）」が「もうちょっとやのう」というふうに、「な」「なぁ」が「のう」になる。「何さらしてんねん」という言葉を、さらに強調して「何さらしてけつかんねん」というふうに「けつかる」をはさむなどの特徴がある。

河内弁に負けるとも劣らずとされる方言が泉州《せんしゅう》弁だ。河内弁と異なる点は、二人称は「われ」ではなく「おのれ」。「君がいったのではないのか」は「おのれがいうたんとちゃうんかえ」になる。ただし、あまり丁寧な言い回しには使わない。派生型には「おのりゃ」があり、これは「おのりゃ、どこのもんじゃえ！」というふうに、エキサイトした場面で用いられる。

もう1つ河内弁と違うのは、「けつかる」とか語尾の「ど」「のう」はあまり使われない。また「け」は疑問だけでなく、「いうてるんけ」「やってるやんけ」のように、あらゆる言葉の最後につく。

河内弁、泉州弁に匹敵するのが兵庫県の播州《ばんしゅう》弁だ。通常時の二人称は「おまん」「おまはん」。エキサイトしたときの「われ」と「おのりゃ」に相当するのは「おんどりゃ」である。「しばく」は「かちまわす」「しゃっきゃす」。「なんやねん」は「なんぞいや」で、語尾に「じゃ」をつけるところもある。

文字にすると、あまり迫力は感じられないが、河内・泉州・播州で気心の知れた友人たちが話しているのを聞くと、ケンカが始まるのではないか、とハラハラしてしまう人もいるという。そして3地区の、特に男性に共通しているのは「声がデカイ」こと。発声のボリュームは、言葉に威圧感をあたえるのに必要な要素なのだ。

Kansai

京都弁はなぜ、やわらかい印象になるのか？

同じ関西弁でも、京都と大阪の大きな違いはイントネーションにあるといわれる。京都ことばに柔らかなイメージがあるのは、言葉づかいに抑揚があるためだ。

たとえば客を出迎えるとき、京都では「よう、お越しやす」。これが大阪だと「よう、お越し」となる。アクセントは「お越しやす」の「こ」と「やす」は「や」にあって抑揚《よくよう》が感じられるものの、大阪弁の「お越し」にはアクセントがない。

「ありがとう」を意味する「おおきに」も、京都弁は1つ目の「お」にアクセントをおき、2つ目の「お」は音が下がって「き」で少し上がって「に」で下がる。大阪弁は「き」にアクセントが置かれるだけ。

「どうでしょう?」を意味する「どうどす?」も最初と3文字目の「ど」にアクセントがあり、「う」の音が低く「す」は音域が上がる。これが大阪弁の「どないだす?」なら、最初から「だ」まで平坦で「す」は音が下がるというように抑揚は少ない。

ただ、単語となると「橋」「雨」「ゴジラ」の発音に差はない。「はし」「あめ」「ごじら」の第1文字にアクセントをおくことはなく、どれも平坦。これを便宜上、「関西アクセント」としよう。

しかし関西には、東京と同じアクセントで話す地域もある。奈良の南部や京都の北部、兵庫の丹波北部や但馬《たじま》地区も東京のアクセントである。

特に奈良県南部の十津川村や天川《てんかわ》村などで話される奥吉野弁は関西アクセントとの違いが顕著《けんちょ》で、「大根」を「だあこん」、「早い」を「はゃあ」というような、つながった母音を中間音で伸ばす「連母音《れんぼいん》の変化」も見られる。

関東では「お前」が「おめえ」、「悪い」が「わりい」とまんなかの音を同じ行の他音で表現するが関西ではあまり聞かれない。また「目が痛い」を「目ぇ痛い」、「火がついた」を「火ぃついた」というような1音の単語の長音化もない。

ただ、和歌山県との関係が強かったためか、和歌山と同じ方言現象が随所《ずいしょ》に見られる。和歌山弁で有名なのは「ザ行がダ行になる」というものだ。「雑巾《ぞうきん》」は「どうきん」であり、「座布団」は「だぶとん」となり、これは奥吉野弁も同じで誘いの「ら」（いこう＝いこら）も使われる。

独自の方言もあり、断定の語尾は岡山や広島のような「じゃ」。格助詞の「は」は「車やきたか」、「今度あ」のように「や」や「あ」に変化し、打ち消しは「書こまい」「泣かまい」というふうに「まい」を使う。

これらのように、昔から東京のアクセントで話す地域もあるが、近年、関西アクセントを使わない人が増えつつあるのが阪神間や北摂《ほくせつ》の、いわゆる高級住宅街だ。

特に若者や子どもたちにその傾向は強く、まったく関西弁を話さない小中学生も少なからず存在する。単語そのものは関西風だが、イントネーションが東京風なのだ。メディアの影響かもしれないが、生粋《きっすい》の関西人としては少し寂しい。

Kansai

「きいひん」「けえへん」「こうへん」…地域で変わる否定語

語尾以外にも地域を見極める方言があり、1つは否定語だ。よくいわれるのが、京都「きやへん」「きいひん」、大阪「けえへん」、神戸「こうへん」。これは「来る」の否定形「来ない」を区別したものだが、関西にはほかの表現も存在する。

ざっと紹介すれば「こん」「きえへん」「きやせん」「きいへん」などなど。都道府県別の統計で見ると、大阪と兵庫、奈良は「けえへん」、京都と滋賀県は「きやへん」、和歌山県は「こん」が多いという。

兵庫県が「こうへん」ではなく「けえへん」なのは、神戸周辺以外は「けえへん」を使うことが多いからだろう。

「きえへん」「きやせん」を使うところは和歌山に多く、ほかにも「けえへな」や「きやん」というところがある。

「けえへな」と「きやん」は、「今日は雨降ってるさかいけえへな」「今日は雨降ってるさかいきやんで」というように使う。

「来ない」の否定形の多くは第1音にアクセントがくるが、「けえへな」は第1と第2音が平坦で、「へ」が下がり「な」で上がるという音となる。

奈良県では「きゃーへん」というところがあり、丹波や丹後では「くらへん」や「くりゃれん」という地域もある。

否定語のほかには「可能表現の打ち消し」というものがある。つまりは「～ができない」についての表現だ。「読めない」「書けない」「話せない」などがそれに当たるが、大阪弁では「読まれへん」「書かれへん」「話されへん」となり、これは関西全域で一般的。京都などだと「よう読まん」「よう書かん」「よう話さん」と「よう」が付く。

ここでも和歌山は独特の表現があり、「へん」は「やん」となる。すなわち、「読めない」は「読めやん」、「書けない」は「書けやん」、「話せない」は「話せやん」となるのだ。

ほかには滋賀県の「読めへん」「書けへん」「話せへん」。ただし、大阪などでも同じ方言の使い方はあるが、その場合は「拒否」を意味する。つまり「読めない」ではなく「読まない」という意味だ。

和歌山でも「読まない」は「読めへん」。「読むことができない」である「読めやん」とは区別される。だが滋賀県では、両方が同じ用法となるのである。

Kansai

「すごい」をいろいろな関西弁に変換すると？

1990年代後半、「すごい」を意味する「チョー」が若者の間で使われた。「チヨーカッコイイ」や「チョーカワイイ」などと用いられ、「チョベリグ」「チョベリバ」という言葉を覚えている人もいるだろう。

ちなみに「チョー」は「超」のことで、英語でいえば「very」に近い。「チョベリグ」は「チョー・ベリー・グッド」、「チョベリバ」は「チョー・ベリー・バッド」の略である。

いまや「死語」に近い「チョー」ではあるが、関西には「すごい」を意味する言葉がいくつかあり、地域によって異なる。

大阪では「ごっつい」が一般的で、「昨日、ごっつい雨降ったなあ」や「あいつ、ごっつい車のってるで」と使われる。

ただ、「ごっつい」には「すごい」のほかに「強固」も意味し、「ごっつい身体」は筋骨隆々とした身体のこと。

もともと「ごっつい」は「ゴツゴツした」が由来だとされているので、こちらのほうが使用法としては先だ。ただ、力士のような巨大な肉体も「ごっつい」ということもあるし、ルパン三世の峰不二子《みねふじこ》のようなスタイルを「ごっついええスタイル」と表現したりもする。

京都では「えろぉ」が「すごい」に相当する。「すごく、ごめんなさい」は「えろぉ、すいまへん」となり、「雨が、すごく降っている」は「雨、えろぉ降ったはる」となる。滋賀県は京都と似ていて「えらい」だ。

神戸では「ばり」ともいい、「ばり強い」「ばりカッコイイ」となる。これも「ごっつい」のゴツゴツ同様、バリバリというオノマトペが由来だとの説もある。

兵庫県の北部では「がっせぇ」、奈良は「ごっつぅ」、和歌山県南部は「やにこ」という。「やにこええさかい、またきてくらんしよ」は「すごくいいから、また来てくださいよ」の意味だ。

かつて南紀の串本町の観光ＣＭで流されていたが、同じ和歌山県でも北部の人は意味がわからなかったという逸話《いつわ》もある。

もはや全国区となった言葉には「めっちゃ」があり、これは「めちゃくちゃ」の省略形だ。「えぐい」も関西で使われるが若年層にかぎられ、高齢者はあまり用いない。そもそも「えぐい」は、アクの強い野菜の味やむごたらしいさまなどを意味するネガティブな言葉。「やばい」が本来の意味から逸脱《いつだつ》したのと同じだ。

Kansai

「ボケ」「ダボ」「アハー」「アンゴ」…各府県の罵倒《ばとう》語は？

関西で人をののしる言葉といえば「アホ」である。ただ、「お前、ほんまにアホやなぁ」というような言葉には多少なりとも親愛の情がふくまれていて、「アホやけど、オレがなんとかしたるわ」という助け舟を出してくれることもある。

また、女の子のいう「もう、アホなこと、いわんといてよ」は、状況によっては怒っているというよりスネた表現に近い。

本気で相手を罵倒するときは、「このアホンダラ！」と「ンダラ」が付く。もしくは「アホ、ボケ、カス！」との三段攻撃を仕掛けられる。ここまでいわれると、反省するか反撃を考えたほうがいい。

ただ「ボケ」は「アホ」のように文中では使われない。「アホぬかせ」「アホやなぁ」のように、「ボケぬかせ」「ボケやなぁ」といわれることはない。ボケはあくまでも独立語である。そして、ボケもしくは「ボケナス」を使うのは、大阪府が主だ。

ボケはともかく、アホは関西全域で一般的であり使用意図にもさほど差はなく、侮蔑《ぶべつ》のみでアホという人は少ない。ただし、地域を見ればアホやボケ以外にも罵倒の言葉はある。1つが兵庫県の南部で使われる「ダボ」である。

ダボは「クソダボ」と強調されたり「ダーボ」と伸ばされたりすることもあり、兵庫県だけでなく岡山県でも口にされている。同じ兵庫県でも、鳥取県との県境付近で聞かれるのが「ダラズ」だ。ダラズは北陸でも盛んな侮蔑言葉であり、「足らず」が訛《なま》ったものともいわれている。

兵庫県北部や京都の丹後地方でいわれるのが「アハー」だ。これはアホと語源を同じにするとされ、アホンダラと同じく「アハーダラ」や「アハータレ」というようなバリエーションもある。

福井県の嶺南《れいなん》地方から京都の丹後・丹波、兵庫の但馬という広範囲にわたるのが「ホーケモン」である。漢字で「呆気者」と表すことができ、「うつけもの」と読むこともできる。

和歌山市から新宮市までの和歌山県太平洋岸に分布しているのが「アンゴ」。最近では使われることも少なくなったようだが、「暗愚《あんぐ》」の訛った言葉との説もある。

そして奈良県南部の吉野・十津川地域から和歌山県の山間部には「ウトイ」という言葉がある。これも漢字では「疎《うと》い」。ボケやダボよりもアホに語意は近く、「ほんま、ウトイやっちゃのぉ」というふうに使われるのだ。

Kansai

関西弁は同じ府県内でも、バリエーションが豊富!

同じ都道府県でもエリアによって文化が異なるように、方言にも地域によって違いがある。

大阪府でいえば、摂津弁、河内弁、泉州弁。河内弁は、さらに中・北河内弁と南河内弁に分けられ、泉州弁は北部の泉北弁と南部の泉南弁に分かれる。摂津弁のなかでも大阪の船場商人が使っていた言葉が「船場ことば」で、これが本来の大阪弁である、とする意見もある。

京都府には京都弁と丹波弁、丹後弁、舞鶴弁があり、京都弁は宮中言葉を由来とする京弁と町人によって生まれた京ことばがある。ただし「京都に方言なんかあらしまへん」、意訳すれば「京都の言葉こそが本来の日本語」という人もいるのでご注意を。丹波弁は奥丹波弁、口丹波弁に加え、兵庫県の丹波地方で話される兵庫丹波弁があり、丹後弁は北西部と南東部で分けられ、同じ丹後地方にありながら舞鶴市周辺の方言は舞鶴弁として区別される。

兵庫県は神戸弁、播州弁、淡路弁、但馬弁、そして兵庫丹波弁。播州弁は西播弁と東播弁に区分され、淡路弁は河内や奈良の影響を受けた北部弁と泉州や和歌山の系統である中部弁、徳島に近い南部弁に分ける説もあり、但馬弁は関西ではなく東山陰方言に属するともいわれている。

奈良県は北中部を境に奈良弁（大和弁）と奥吉野弁に分かれ、奈良弁には北中和弁と南和弁がある。奥吉野弁は、十津川弁、北山弁、大塔《おおとう》・天川弁に分けられ、周囲との交通が隔絶されてきた地域の特殊な方言であることから、周囲とは異なる特徴のある「言語島《げんごとう》」としても有名。特に大塔・天川弁エリアの洞川方言は、その傾向が顕著《けんちょ》とされる。

滋賀県は琵琶湖を挟んで湖東弁、湖西弁、湖南弁、湖北弁に区分され、湖南弁

2府4県の方言

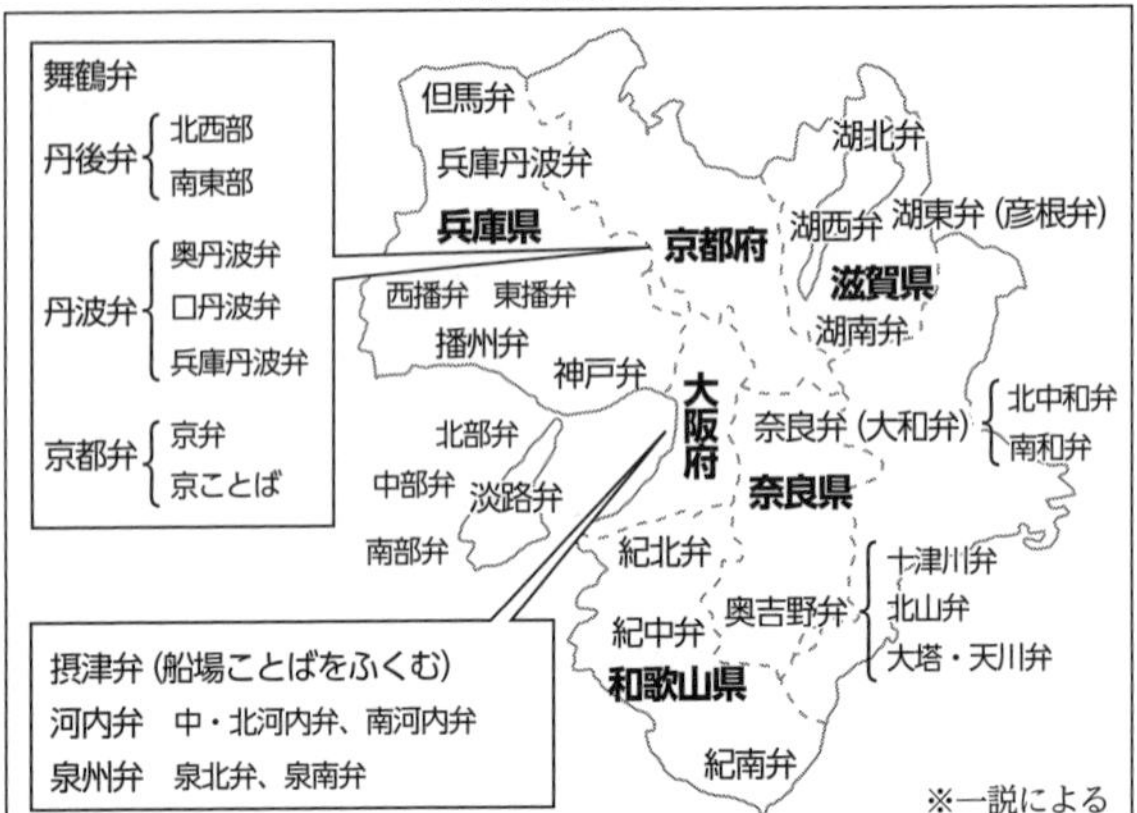

は京都弁に近く湖北弁は近江地方独特の特徴を備えて湖西弁にも影響をあたえている。また、湖東弁は「彦根弁」と呼ばれるほどの特別な言語圏であり、県内には奥吉野弁ほどではないが言語島も存在する。

和歌山弁は紀北、紀中、紀南の3方言に大きく分けられ、関西のなかでも古い言葉を話す地域が多い。これは京都や大阪から距離が離れているため、同心円状に伝《でん》播《ぱ》した言葉が、そのまま残されているとも考えられている。

一口に関西弁といっても、これだけのエリアが存在するし、エリア内でもさらに細分化されている地域もあるのだ。

Kansai

滋賀県には「ほっこり」したい人はいない？

滋賀県は京都文化の影響を強く受けたうえに交通の要衝であるため、関西のなかでも独特の言葉が多い。言葉の最後に「い」を付けるという特徴もあるが、語尾にはほかにも他府県では聞かれないものがある。

京都や大阪では敬語で「〜してはる」というが、滋賀では「〜してある」。「は」が「あ」になり、「先生、いかはるんやろか」は「先生、いかあるんやろか」となる。

命令形の「しなさい」は「い」もしくは「やい」となり、「いきなさい」は「いかい」、「食べなさい」は「食べやい」となる。

大阪弁で疑問の語尾につく「や」は「えぇ」となり、「それ、なんぼや?」は「それ、なんぼえぇ?」。「~してください」は「さ」が省略されて「~してくだい」となり、「自転車を横によけてください」は「自転車、横によけてくだい」と表現する。「~できない」は「~できよい」「~できよかい」で、「買えない」は「買えよい」、「着られない」は「着えよかい」だ。

また、指示代名詞の「そ」が「ほ」に変わることが多く、「それ・そして・それから」は「ほれ・ほして・ほれから」だ。標準語の「だから」は関西で「そやから」や「そやさかい」といわれることは多いが、滋賀では「ほやから」「ほやさかい」となるわけだ。

「捨てる」を関西では「ほかす」という。これは関西と関東の比較でよく指摘される点で、滋賀でも「ほかす」は使われるが「ふてる」ともいう。

また「ポイっと」を「ぽいと」といい、「ポイっと捨てる」は「ぽいとこせとほかす」もしくは「ぽいとこせとふてる」。この「ぽいとこせ」には「放置したまま」「いきなり」の意味もあり、「仕事をほったらかしにする」は「仕事をぽいとこせにする」である。

似ているようで違った意味をもつのが「ほっこり」だ。京都発祥でいまや全国区となった「ほっこり」は、「ほっこりとした雰囲気」「心がほっこりする」のように好意的な意味で使われる。

しかし、本来は「疲れた」の意味で、それも適度な運動で汗をかくような「心地よい疲れ」を指す。

だが滋賀県北部では「心地よい」ではなく、「心身ともに疲れ切った状態」もしくは「嫌《いや》になってうんざりする」というダメージの強い言葉だ。「今日は働き過ぎてほっこりやわ」や「文句ばっかしいわれてほっこりした」と聞けば、滋賀以外の人は違和感を覚えてしまうかもしれない。

夜のことを「よさり」というが、これは『竹取物語』にも登場する古語が滋賀では残されているのだ。

気をつけたいのは返事で、「はい」を「ない」という地域がある。現在はあまり聞かれないというが、「はい、はい」が「ない、ない」となる。

これらの言葉は、ほかの関西地域の人が聞いても意味のわからないものが多い。滋賀県の方言は、関西でもちょっと独特なのである。

Kansai

和歌山では「上履き」「ビーチサンダル」を何という?

「バレーシューズに履《は》き替えて上がりや」

そんな忠告を耳にしても、決してバレエ教室のことではない。このバレーシューズとは、「上履《うわば》き」のことを意味する。それが常識となっているのが和歌山県だ。

現在、全国で普及している学校の上履きは、福岡県久留米市のシューズメーカー「ムーンスター」が開発したものが多い。底がゴム製の白いズック靴だ。

1950年代には「新製品Aシューズ」と甲の部分にバンドがついた「バレーシューズバンド付」という2種類の靴が販売され、和歌山ではバレーシューズという商品名そのままで広まったともいわれている。ただ、なぜ和歌山だけ商品名で呼ばれているのかは不明である。

また和歌山には、もう1つ独特の呼び方をする履物がある。それはビーチサンダル。和歌山では「水セッタ」という。水はビーチなど水の多いところ、セッタは草履《ぞうり》の一種である「雪駄」だ。つまり「水辺ではく雪駄」が縮まって水セッタになったと考えられる。

7 気になる2府4県ご自慢のグルメ

たとえば――
「ぼっかけ」「おばんざい」の正しい意味は？

Kansai

雑煮は府県ごとに、こんなにも違う!

関東ではしょう油仕立てのすまし汁に角餅を入れたもの、関西では白味噌ベースで丸餅というように、お雑煮《ぞうに》は東西で違っていることはよく知られる。

白味噌雑煮の文化圏は近畿から四国にかけてで、関西白味噌（西京味噌）、讃岐白味噌、府中白味噌が主に使われる。そのどれもが麹《こうじ》をふんだんに使った米味噌である。塩分が少ないので甘味が強く、とろりとした独特の風味に仕上がる。そんな関西風のお雑煮も、じつは地域ごとに違いがあるのだ。

まず、関西でもっとも有名な雑煮といえば大阪風だろう。白味噌仕立ての汁に丸餅を入れ、さらにサトイモ、大根、金時ニンジンを具材としたものだ。時には三つ葉をのせることもある。この白味噌雑煮は元日に出され、地域によっては2日に焼餅と水菜を入れたすまし汁タイプがつくられることもある。「飽きない」ように食べ方を変えることを、「商い」に掛けたという。

こうした大阪風は京都が発祥だというが、味付けは少々異なっている。白味噌にサトイモやニンジンを入れるつくり方は大阪と同じだが、家族や物事の円満を願うために丸く切るのが特徴の1つ。そして味付けは、ほかの地方よりも甘口なのだ。

かつての白味噌は最高級食品であり、それを用いた雑煮も贅沢品の1つだった。ゆえに昔の京都では、高級な白味噌雑煮を「正月菓子」という感覚で楽しみ、その名残で現在も甘口になっている、という説がある。

奈良県の雑煮もユニークだ。なんと、白味噌の雑煮にきなこを添えて、餅に絡《から》めて食べるという。雑煮から取り出した餅を、稲穂のように金色のきなこで彩ることにより、豊作を祈願したのが始まりなようだ。

また、和歌山県では青身大根とアオサを入れた雑煮がよく知られている。そして関西圏でありつつも、複数の形式が混在している地域もある。それは兵庫県だ。

但馬地方から京都府の西境では白味噌ベース、合わせ味噌ベース、すまし汁タイプ、ぜんざい風とさまざまな雑煮が入り乱れている。さらに播磨地域の明石市とその周辺では、名産品の焼きアナゴを白焼きにして雑煮の具にすることもある。当然、だしもアナゴの骨や頭でとる。こちらもすまし汁や白味噌風など、多様な種類が存在するのだ。

関西風雑煮と一口にいっても、これほどの種類がある。機会があれば食べ比べてみるのもいいだろう。

Kansai

トコロテンは、どうやって食べるか？

「トコロテンをおかずにしてご飯を食べる」

関東の人なら、さほど驚きはしないだろうが、関西では「ええ！」と驚愕《きょうがく》の声が聞こえてきそうだ。「あんな甘いもんで、ご飯なんか食えるかえ！」というのが関西人の認識だ。

なぜなら、関東の「お酢」に対し、関西では黒みつをかけて食べるのが一般的だからだ。

トコロテンを黒みつで食べる地域は、大阪府、京都府、奈良県、滋賀県、和歌山県の大部分だ。ただし、同じ関西でも兵庫県は違う。基本は黒みつなのだが、酢じょう油で食べる地域もある。いわば関東に似た方法なのである。神戸市や姫路市などの都市部でも珍しくない食べ方で、黒みつと酢じょう油の両方を用意するスーパーも多いという。

中国地方は酢じょう油で近畿は黒みつ。姫路や明石、神戸はその境目にあるので、双方の影響を受けたと考えられている。

また、大阪や京都などはおかゆを水でつくるが、和歌山県と奈良県ではほうじ茶を使った「茶粥《ちやがゆ》」が定番だ。サツマイモなどを入れる場合も多く、「おかいさん」として朝食の定番にもなっている。

そんな和歌山県では天ぷらの食べ方も一風《いっぷう》異なる。天つゆや塩ではなくソースで食べるのだ。大阪などでもソースをつける地域はあるが、和歌山は県内全体の８割以上という。ソース文化は大阪や神戸のイメージが強いので、これは意外な結果だろう。

一方の奈良県ではボタ餅にサトイモを入れる。かつての奈良ではモチ米が貴重品だったので、サトイモで代用したことが始まりだという。中国地方などにもイモ入りボタ餅はあるが、サトイモを使うのは奈良だけだ。

次に見るのは漬物だ。漬物はそのまま白飯などと一緒に食べるのが定番だが、旬を過ぎた古漬けを煮炊きする地域もある。

大阪泉州では水ナスとショウガの古漬けをエビやジャコと一緒に煮る料理法があり、滋賀県でも50パーセント以上が古漬けを煮炊きしている。また京都にも古いタクアンを煮炊きする「大名煮《だいみように》」という料理がある。

そんな京都は中華料理の味わいにも個性がある。ニンニクや香辛料を多用したこってりとした他県と違い、だしを利かせたあっさり仕立てになっている。「さすが京都！」といいたくなるが、逆にラーメンはこってりとした味わいだ。

薄口の関西うどんとの差別化を図った結果だとされるが、同じ関西内でも食文化は多種多様なのである。

Kansai
関西のたぬきそばって、どんなそば？

「キツネうどん」と聞けば、誰もが油揚げ入りのうどんを連想するだろう。だが、「タヌキそば」といわれたら、地域によっては答えが異なるかもしれない。

関東のタヌキそばは、揚げ玉（関西では天カス）入りのそばのことだ。しかし、関西だと油揚げの入ったそばを指す。ちなみに関東のタヌキうどんは関西だとハイカラうどんである。

こうした東西の違いは有名だが、じつは関西でもタヌキそばの認識は統一されていない。関西の基本的なタヌキそばは、関東のキツネそばとほぼ同じ。つまりはキツネうどんのそばバージョンである。

キツネうどん同様、油揚げが三角である関東と違って形は四角だが、基本の構造は同じといえる。

ちなみに、なぜ関西でキツネそばを「タヌキ」と呼び始めたかはわかっていない。「キツネうどんがあるから、そばはタヌキにした」や「キツネうどんがそばに化けたから」とする説もあり、詳しい理由は不明のままだ。

このタイプのタヌキそばを提供する地域は、大阪府を中心に和歌山県、兵庫県、奈良県と関西の大部分を占めている。ところが京都府だとまた事情が変わってくる。

京都のキツネうどんは油揚げを短冊状に刻んで入れる。一方のタヌキそばは、短冊状の油揚げの上から「あん」をかけた料理だ。

ちなみにタヌキうどんも刻み油揚げのあんかけうどんで、大阪風のタヌキそばは「甘ギツネそば」と呼ばれている。

なお、大阪で刻んだ油揚げを入れたうどんやそばは、「きざみうどん」「きざみそば」である。大阪でタヌキうどんというメニューは見当たらない。

京都で油揚げの上からあんをかけるのは、料理の熱を逃がさないための工夫だとされる。そして麺をかき分けたときに湯気が、化けタヌキの変身を連想させるのでタヌキそば・うどんと呼び始めたという。

タヌキそばの事情が複雑なのが滋賀県だ。なぜなら滋賀には大きな油揚げの大阪風と京都の刻みあんかけ風が混在しているからだ。どれを出すかは店によって違うが、主に京都風は大津市周辺に多いという。

大津市は京都に近いために、もっとも影響を受けたのだろう。また、場所によってはキツネそばとして提供する店もあるという。

まさに、何がタヌキそばかキツネそばかは、店が決めているのが現状だ。化けるのが得意な「タヌキ」というだけあって、名前も変幻自在なのである。

Kansai
こんなにある各地自慢の「粉もん」メニュー

関西の、というよりも大阪のソウルフードといわれるのが「粉もん」だ。主にタコ焼き、お好み焼き、ネギ焼き、イカ焼きをいう。うどんやそばも粉もんとする意見もあるが、「それやったら、ラーメンとかスパゲティはどないなんねん」という声もあって一般的ではない。ただし、焼きそばは粉もんに含まれることもある。

なお、大阪のイカ焼きは刻んだイカを生地に練り込んで焼いたもの。丸ごとのイカをあぶったものは「イカの姿焼き」である。

兵庫県で粉もんといえば、まずは「明石焼き」。小麦粉の生地にタコと卵黄を入れて丸めたもので、ソースをかけずにだし汁に浸して食べる。明石では「玉子焼き」と呼ばれ、だしに浸すのは熱々の玉子焼きを冷ますのが目的だったという。

同じ兵庫県では、「すじコンのお好み」がある。すじコンとは牛肉のすじとコンニャクを甘辛く煮たもので、それをお好み焼きの具としたものだ。

神戸市長田区が発祥とされ、「ぼっかけ」とも呼ばれている。また、同じ長田区発祥の料理としては、焼きそばとご飯を混ぜ合わせて炒めた「そばめし」もあるが、粉もんかどうかは微妙なところだ。

なお、京都と滋賀のタコ焼きにはキャベツを入れる。そうすることで、ずっしりとした重い味わいになるという。

また、関西のお好み焼きは材料と生地を混ぜる「混ぜ焼き」が主流とされがちだが、兵庫県高砂《たかさご》市とその周辺では、「にくてん」と呼ばれる「重ね焼き」が見られる。これは広島のお好み焼きに似たタイプで、クレープ状に焼いた生地の上にキャベツや肉などを重ねて焼く。

京都でも生地に材料をのせる「べた焼き」が主流で、さらに上層を薄焼き卵で挟んだ「マンボ焼き」も有名。祇園名物である「壹銭《いっせん》洋食」も重ね焼きだ。

大阪でも重ね焼きタイプを「洋食焼き」という名でメニューにのせている店もある。岸和田市の「かしみん焼き」は、重ね焼きの具にヒネ鶏のミンチを使ったものだ。

和歌山県の御坊《ごぼう》市では、「せち焼き」という粉もんがご当地グルメとなっている。焼きそばをタマゴだけで固めたお好み焼き風の料理で、名前の由来は、とある店で客が「タマゴで焼きそば、せちごうて（めちゃめちゃにして）」と注文したことにあるという。

奈良県にも、ソーメンの切りくずなどを水で溶かして小麦粉と一緒に焼く「けんぺ焼き」が三輪山《みわやま》の麓に伝わっている。

一口に粉もんといっても、関西では各地に独特のメニューが根付いている。なお、関東でメジャーな「もんじゃ焼き」は、関西ではあまりお目にかかれない。最近ではメニューに加える店もあるが、これも粉もんに入るかどうかは意見の分かれるところである。

Kansai

京都人は和食よりパンとラーメンが好き？

「京都の人の好物は？」と聞かれたら、おばんざいなどのあっさり系と答えるかもしれない。しかし京都市民全体でみると、じつは和食よりもパン食が好まれているという意外な事実がある。

総務省の調査でも、パン消費量は京都市が1世帯あたり5万5052グラムで全国1位（2020年度から22年度）。日本全体の平均消費量が4万4591グラムなので、約1・25倍となる。年間支出金額も3万9398円で全国トップである。

京都人がパンを好む理由は、「新しいモノ好きの県民性」というのが通説だ。ところが、パンが上陸した当初は人気がなかったという。京都市にパンが伝わった明治時代の後期には、「大きな麩《ふ》」と揶揄《やゆ》されてもいたようだ。

その評判が逆転したのは、日露戦争がきっかけだという説がある。捕虜となったロシア人が最新の製パン技術を伝えたことで、京都市内にも製パン業者が次々に進出していった。

そしてパンへの風評も変化し、京都人の好物になったという。このほかにも、喫茶店や戦後の進駐軍が始まりという説もある。

京都人が好きなパンの特徴は、総菜パンやサンドイッチだ。半分に切った丸型パンにハムとタマネギを挟んだ「カルネ」も大人気で、カツサンドやフルーツサンドもよく食べる。

京都は職人の町でもあったので、作業中でも手軽に食べられるものが好まれたらしい。だが、食パンを単体で食べることは少なく、食パン消費量も全国3位（同）となっている。ちなみに1位は神戸市である。

京都人がパン好きとは意外かもしれないが、好物はさらにもう1つある。ラーメンだ。京都府全体のラーメン店の軒数は３９６軒（２０２１年）。全国36位だが、関西2府4県のなかでは、もっとも多い。

京都のラーメン文化は１９３８年に中国人料理人の徐永俤氏が引いた屋台とされ、そこで出された濃厚しょう油ラーメンが京都人のスタンダードになった。その流れをくむ現代の京都ラーメンも、かなりのこってり系である。

全国チェーン店の「天下一品」も京都生まれ。背脂チャッチャ系の元祖「ますたに」などの有名店も多数あり、京都市内は東京以上のラーメン激戦区となっている。

あっさり系と風流なイメージが根強い京都人の意外な素顔といえるだろう。

Kansai

牛肉をこよなく愛する県はどこか?

日本の牛肉需要は「西高東低」だとよくいわれる。つまり関西は関東よりも牛肉を好む傾向が強いのだ。

カレーや肉ジャガの肉は牛肉が当たり前。神戸牛や但馬牛などのブランド牛肉も数多く、総務省の家計調査によると、2020年から22年の都道府県別牛肉年間消費量も、トップ3は関西勢が占めている。

まさに関西は牛肉文化の地といえる。そうした牛肉文化の発祥はどこかというと滋賀県だ。滋賀県の牛肉食の歴史は江戸時代から始まった。彦根藩は陣太鼓《じんだいこ》用の牛皮を江戸に献上する義務があったので、牛を屠殺《とさつ》する必要があった。その牛皮製造で発生する肉で、藩内では干し肉や味噌漬けの製造をしていたのだ。

食品ではなく、あくまでも薬としてつくられたので、当時の肉食禁止には触れず、将軍家や諸大名にも献上品として送られ、彦根の名物となっていく。

そうした流れもあって、明治維新で牛食が解禁されると民衆の間にも肉食が広まり、現在も近江牛《おうみうし》を名物とするなど、牛肉との関わりが深い県である。

関西全域の食肉消費を全域で見ると、総務省の「家計調査品目別都道府県庁所在市及び政令指定都市ランキング２０２０年～２０２２年平均」によれば、ハムやソーセージなどの加工肉を含めた1世帯あたりの消費金額は、1位が京都市の11万８０８８円、２位が大津市の11万６０７６円で、３位は奈良市、４位が大阪市。そのあと堺市、神戸市と関西勢が占め、関西最下位の和歌山市でも全国で見れば12位だ。

加工品を除く生鮮肉の消費額では、上位から京都市、奈良市、大津市、大阪市、堺市、神戸市とつづき、大分市が関西以外でランクインしても、その次は和歌山市。ただし、消費量では奈良市が5位、大阪市が9位、大津市が14位、京都市が17位とトップランキングの独占からは後退する。

つまり、関西の消費金額が高い理由は食肉の量よりも質といえ、特に牛肉に費やすランクは全国トップの京都市から7位の和歌山市まで関西が独占。金額も全国平均の2万３０８０円に対し、3万６６４３円と1万３０００円以上も上回っている。

消費量も全国平均6709グラムなのが関西の7市では9241グラムと大きく差がある。ただし、豚肉では関西トップの奈良市は消費額で全国15位、消費量は23位、鶏肉は京都ががんばっていて額も量も関西1位だが、全国では額は3位、量は9位だ。

このように、関西では食肉文化が発展してはいるが、多くは牛肉によるものといえる。ただ、和食のイメージが強い京都市で牛肉の消費額も消費量（全国6位）も多いのは、意外な一面ではある。

Kansai

「ぼっかけ」「おばんざい」の正しい意味は？

神戸市の長田区の名物には、牛肉とコンニャクをしょう油とみりんなどで甘辛く煮込んだ「すじコン」がある。お好み焼きや焼きそば、うどんの具としても使われるが、「ぼっかけ」と呼ばれることもある。ただし、地元での呼び名はあくまでも「すじコン」もしくは「すじ」だ。

「ぼっかけ」として定着したのは、2000年代初期のB級グルメブームにある。阪神淡路大震災で大きな被害を受けた長田地区では、地域を盛りあげるため200

2年に食のイベントを開催。目玉となったのがすじコンだが、「よりインパクトの強いネーミングを！」ということで、「ぼっかけ」という名前が使われるようになった。ただ、そもそも「ぼっかけ」とは、すじコンをうどんに「ぼっかけ（ぶっかけ）たもの」を指していたという。

地域特有のネーミングといえば、京都の「おばんざい」だろう。「総菜」のことを意味し、かつての「おふくろの味」同様、「懐かしい味」「心のなごむ味」としてもてはやされている。

「おばんざい」の語源は、「ばん」に「万」の字を当てて「さまざま」を意味するという説や、「番」の字で書き「日常」を指すとする説がある。どちらにしても、日常的な「おかず」のことだ。ただし、あまり京都の人が使うことはない。

そもそもおばんざいは、戦後の料理研究家が広めたとされている。江戸時代の料理書「年中番菜録」をもとにして、1964年に朝日新聞京都版が「おばんざい」というタイトルで、京都の家庭料理や歳時記を紹介する連載を開始。それをきっかけにして、全国に普及していったとされる。

ネーミングではないが、特産品への誤解とされるのが滋賀県の鮒《ふな》ずしだ。鮒ずしは塩漬けしたフナをご飯と一緒に発酵《はっこう》させたもので、滋賀県の伝統料理であり特産品だ。それゆえ、県民にも愛されているかと思いきや、じつは食べない人が多い。

発酵食品なのでニオイが強いうえに1パック数千円という値段の高さもあって、なかなか手が出せないのだ。

そして奈良県。歴史のある土地柄なので名産品も多いと思いきや、じつは有名な食べ物は意外と少ない。伝統的な名物といえば、奈良漬と柿の葉寿司、あとは三輪そうめんと大和茶ぐらいのものだろう。

奈良は海が遠くて農耕地も少ないため、保存食以外の料理があまり発達しなかったとされる。歴史ある地の意外な真実といえるのだ。

Kansai

「ベビーカステラ」「三笠」「御座候」は、どんなおやつ？

関西では一般的だが、関東ではあまり見られないスイーツといえば「ベビーカステラ」だろう。浅草の三島屋のように戦後の東京でも屋台で売り出されたというが、広まったのは30年ほど前だという。

ホットケーキやカステラのような生地を丸く焼いたベビーカステラは、屋台やキッチンカーはもちろん、関西では専門店も存在する。そんなベビーカステラの発祥の地は、兵庫県という説が有力で、時代は約100年前の大正時代にさかのぼる。

作家で生活史研究家の阿古真理《あこまり》氏の取材（「東洋経済ONLINE」2023年1月31日付から引用）によると、100年近く前から神戸市長田区でベビーカステラを販売する「加島の玉子焼」は、西宮市から来ていた人からカステラ焼き機を購入したのが始まりだとする。

やがて戦後の復興期に、カステラ焼きを売る店が増える。ただし、西宮や神戸周辺では「ちんちん焼」、明石では「福玉焼」、姫路は「松露焼《しょうろ》」、神戸でも「玉子焼」という名称で売っていたとか。さまざまな呼び方がある理由は、祭りなどで店を出す露天商にはあらかじめ決められた場所があり、同じ商品を新規で参入するのはむずかしかったから、との意見がある。

これらが、ほぼベビーカステラに統一されたのは1954年のこと。神戸界隈《かいわい》で出店していた「三宝屋」の創業者が名づけたという。

関西では当たり前のように見かけるベビーカステラ。専門店では、カスタードクリームやチョコレートを入れたアレンジ商品も販売されている。

カステラタイプの和風スイーツといえば、某ネコ型ロボットの好物である「ドラ焼き」だ。ただ、関西では「三笠」と呼ばれることがある。名前の発祥は奈良で、由来は春日大社の東側にある山から来ている。

その山というのが、百人一首にも謳《うた》われることが多く、阿倍仲麻呂《あべのなかまろ》が詠《よ》んだとされる「天の原 ふりさけみれば 春日なる 三笠の山に 出でし月かも」の三笠山だ。形が三笠山に似ていることから三笠になったという。

また、今川焼は「御座候《ござそうろう》」「回転焼き」などと呼ばれ、地域で呼び名の異なる和風スイーツの代表格となっている。

Kansai

大阪人のおやつはタコ焼きってホント？

おやつといえば、甘いものが定番だが、せんべいやおかきなど、塩辛いものも捨てがたい。そんななかで、和菓子を好むのは大方の予想を裏切らない京都。京都市は石川県の金沢市や島根県の松江市と並ぶ、日本の三大菓子処の一角を占めている。

京都の和菓子は、古くから茶道家元や御所の御用達品として親しまれ、江戸時代には富裕層などが茶会の必需品とした。現在も創業数百年の老舗菓子店が多数あり、人口10万人当たりの和菓子店数は全国トップといわれる。

ただ、関西でもっとも和菓子の消費が多いのは奈良県である。総務省の家計調査

（2020〜22年平均）では、奈良市のようかんの年間平均購入金額は512円で京都市に次ぐ関西2位。まんじゅうは939円で関西1位となり、ほかの和菓子の合計購入金額も1万1270円でトップだ。

また、埼玉県に本社を置く洋菓子メーカー「モンテール」のスーパー・コンビニスイーツ白書（2022年度）によると、奈良県は1日でおやつを食べる回数も1・44回と日本一なのである。

和歌山県でも、茶道や高野山系寺院との関係性から和菓子が主流。滋賀県も大津市が東海道五十三次最大の宿場街だった背景から、大津駅周辺は今も和菓子の町である。

ようかん、まんじゅう、せんべいを除いた平均購入金額も1万8817円と関西2位。そして、洋生菓子の消費金額は1万1439円で関西1位である。滋賀県民は洋菓子もお好きなようだ。

とはいえ、関西の洋菓子好きといえば兵庫県は外せない。明治維新後の神戸開港で洋菓子は上陸したが、本格的に広まったのは大正時代。来航した外国人の協力でモロゾフなどの有名店が次々にオープンし、神戸は洋菓子の町となった。

神戸市灘区におかれた兵庫県洋菓子協会も、日本洋菓子協会連合会に加盟する洋菓子協会のなかで、もっとも歴史が古い。おやつも当然洋菓子が中心である。

そして、もっともおやつのバリエーションに富んでいるのが大阪府だ。関西の中心都市であるために、和洋を問わず、さまざまな菓子店が出店しているが、スイーツだけでなく粉もんの人気も高い。

特にタコ焼きは、定番中の定番。お好み焼きはご飯のおかずとしても食べられるが、タコ焼きはおやつ向きで、タコ焼きをエビせんべいで挟んだ「たこせん」というアレンジも存在する。

さらに、551に代表される「豚まん」も外せない。食い倒れの町と呼ばれるだけあって、おやつの好みも多種多様なのである。

Kansai

関西おでんには、大阪・京都・姫路バージョンがある

「おでん」は大阪や京都では「関東煮《かんとだき》」と呼ばれており、本来のおでんはコンニャクや豆腐を焼いて味噌をつけた「田楽」を丁寧に呼んだものだった。おでんの名が定着したのは、全国展開の居酒屋チェーンやコンビニの影響が強い。

関西風として紹介されるのは、主に大阪の関東煮（おでん）だ。特徴は東京より

もあっさりとしただしだ。関東風は濃口しょうゆでしっかり煮込むので色もやや黒い。対する大阪風がメインとするのは淡口しょうゆで、色は澄んでいるが味は濃い。牛すじやタコの足といった具材を入れる。

京都のおでんは、大阪よりもさらにだしと素材のうま味を重んじている。昆布や淡口しょう油のだしに入れる具材は、湯葉や豆腐、京野菜にひろうす（がんもどき）などだ。鶏肉を入れる場合もある。汁の色合いも薄く、味も大阪より薄口だ。しかし具に味がよく染みているので、食べたときの満足度は高いようだ。

そして大阪や京風と並ぶ関西の有名おでんが、兵庫県の姫路おでんだ。最大の特徴は、おでんにショウガじょう油をかけて食べること。ルーツについては諸説あるが、昭和10年頃にはこの食べ方が定着していたという。

昭和初期の姫路はショウガの名産地であり、隣接するたつの市は、いまもしょう油の産地としても有名だ。そのため関東からおでんが伝わると、ショウガじょう油で味を調えるようになったとされる。

そして大阪風が広まった現代では、小皿に入れて刺身のように食べている。姫路おでんの名は2006年頃に町おこしのグループが付けたもので、「しょうちゃん」というゆるキャラがつくられるなど、姫路の名物として売り出されている。

8 格差が激しい?!2府4県の交通事情

たとえば——

滋賀県では全長66mの路面電車が走っている

Kansai

「関西は私鉄王国である」は正しいか

関西は「私鉄王国」と呼ばれている。歴史的に見ても、現在のＪＲ路線は私鉄を前身とするところが多く、自治体の主要駅が私鉄のところも多い。しかし、「王国」とまでいえるのは、大阪府と兵庫県の南部、奈良県にかぎられるのだ。

大阪府下43市町村で私鉄が走っていないのは、四條畷《しじょうなわて》市、大東市、能勢《のせ》町、熊取町、太子町、河南《かなん》町、千早赤阪《ちはやあかさか》村だけ。このうち、能勢町、太子町、河南町、千早赤阪村はＪＲも通っていない。逆に私鉄があってＪＲ路線がないのは15市町にのぼる。

兵庫県南部に目を移せば、尼崎市から神戸三宮までは阪神と阪急が通じていて、そこから姫路までは山陽電鉄が通る。そして、阪急は伊丹市、宝塚市、川西市まで延びている。

奈良県は近鉄が県内各地を結んでいる。このような状況なので、大阪、奈良、兵庫南部は私鉄王国といってさしつかえはないだろう。

では、ほかの府県を見れば、京都府は京阪と阪急が大阪市と、近鉄が奈良県と京都市を結び、北部には福知山、舞鶴、宮津などを結ぶ京都丹後鉄道が走る。和歌山県は南海が大阪と、滋賀県は京阪が京都とつながり、滋賀県の湖東は近江鉄道が通じている。

ほかにも中小私鉄が点在し、大阪、兵庫南部以外でも私鉄が充実しているように思える。

しかし大手にかぎっていえば、京都で京阪と阪急が走っているのは府南西部のほんの一部だけ。兵庫県の北部と中部は、ＪＲのほうが充実している。

滋賀県の湖西地域は京阪が走る大津市内だけで、和歌山県は南海高野線が大阪市から橋本市を通って高野山をつないでいるものの、南海本線は和歌山市までだ。

ただ、ＪＲが独占している地域では、利便性の低いところも多い。ＪＲの各本線や大阪のＪＲ片町線（学研都市線）、阪和線、滋賀県湖西のＪＲ湖西線、兵庫県のＪＲ福知山線などは別として、そのほかではダイヤが1時間に1本というところもざらにある。

奈良県も関西本線（大和路線）はまだしも、桜井線や和歌山線は便利な路線とはいいがたい。ちなみに、ＪＲには奈良線もあるが、ほとんどが京都府内の駅で奈良県内は、平城山《ならやま》駅と奈良駅の2駅のみである。

関西の私鉄の路線名・営業距離・駅数

会社名	路線名	旅客営業km	駅数
近畿日本鉄道	**難波線**(大阪上本町〜大阪難波)、**奈良線**(布施〜近鉄奈良)、**生駒線**(王寺〜生駒)、**大阪線**(大阪上本町〜伊勢中川)、**信貴線**(河内山本〜信貴山口)、**京都線**(京都〜大和西大寺)、**橿原線**(大阪西大寺〜橿原神宮前)、**天理線**(平端〜天理)、**田原本線**(新王寺〜西田原本)、**南大阪線**(大阪阿部野橋〜橿原神宮前)、**吉野線**(橿原神宮前〜吉野)、**道明寺線**(道明寺〜柏原)、**長野線**(古市〜河内長野)、**御所線**(尺土〜近鉄御所)、**山田線**(伊勢中川〜宇治山田)、**鳥羽線**(宇治山田〜鳥羽)、**志摩線**(鳥羽〜賢島)、**名古屋線**(伊勢中川〜近鉄名古屋)、**湯の山線**(近鉄四日市〜湯の山温泉)、**鈴鹿線**(伊勢若松〜平田町)、**けいはんな線**(長田〜学研奈良登美ヶ丘)	501.1	286
南海電気鉄道	**南海本線**(難波〜和歌山市)、**高師浜線**(羽衣〜高師浜)、**多奈川線**(みさき公園〜多奈川)、**加太線**(紀ノ川〜加太)、**和歌山港線**(和歌山市〜和歌山港)、**泉北高速線**(中百舌鳥〜和泉中央)、**空港線**(泉佐野〜極楽橋)、**高野線**(汐見橋〜極楽橋)、**高野線**(汐見橋方面:汐見橋〜岸里玉出)、**鋼索線**(極楽橋〜高野山)	153.5	98
阪急電鉄	**神戸本線**(大阪梅田〜神戸三宮)、**神戸高速線**(神戸三宮〜新開地)、**今津線**(宝塚〜今津)、**伊丹線**(塚口〜伊丹)、**甲陽線**(夙川〜甲陽園)、**宝塚本線**(大阪梅田〜宝塚)、**箕面線**(石橋阪大前〜箕面)、**京都本線**(大阪梅田〜京都河原町)、**千里線**(天神橋筋六丁目〜北千里)、**嵐山線**(桂〜嵐山)	143.6	90
京阪電気	**京阪本線**(淀屋橋〜三条)、**鴨東線**(三条〜出町柳)、**中之島線**(中之島〜天満橋)、**交野線**(枚方市〜私市)、**宇治線**(中書島〜宇治)、**石山坂本線**(石山寺〜坂本比叡山口)、**京津線**(御陵〜びわ湖浜大津)、**鋼索線**(ケーブル八幡宮口〜ケーブル八幡宮山上)	91.1	89
阪神電気鉄道	**阪神本線**(大阪梅田〜元町)、**阪神なんば線**(尼崎〜大阪難波)、**武庫川線**(武庫川〜武庫川団地前)、**神戸高速線**(元町〜西代)	48.9	51

※2022年3月現在、日本民営鉄道協会データより

関西の私鉄が、ほかの地方にくらべて発達しているのは確かだ。だからといって、すべての範囲で私鉄優先というわけではない。「私鉄王国関西」というよりも、「関西の一部が私鉄王国」と言い換えたほうがいいかもしれない。

Kansai
京都と神戸の市内移動はバスがオススメ

一般的な公共交通機関といえば、バスか鉄道だ。地方では赤字路線の廃止に伴って、鉄道からバスに転換されるところもある。都心でもバスは身近な交通手段であり、利用している人も多いだろう。

そんなバス路線が充実している関西の都市といえば、なんといっても京都市だ。大阪でも市バスは走っているが、京都と比べれば雲泥《うんでい》の差だ。

京都市営バスが開業したのは1928年のこと。当時、すでに路面電車の京都市電が走っていたが人口の増加で輸送需要が高まり、市電の補助となる新たな交通手段が求められたのだ。その後、路線は拡張しつづけ、現在では営業路線約317キロまで成長している。

京都の市バスの大きな特徴であり魅力といえるのが、市内の主要な観光地を広くカバーしていることだ。

市バスは路線の種別によって系統番号が割り振られており、たとえば市内中心部を一周する「循環系統」には200番台の番号がつけられている。循環系統は201~208号系統まであるが、これらのルートには八坂神社や建仁寺《けんにんじ》、清水寺などの名所に手軽にアクセスできる停留所が多く設置されている。

また100番台は観光系統と位置づけられ、急行路線であるため市内をスピーディーに巡りたい人にはお勧めの路線だ。

現在、市バスは800両以上の車両を保有し、系統数は80を超える。主な停留所には系統も集中し、10分刻みで次々にバスが到着する。そのため、停車待ちでバス同士の渋滞が起きるほどだ。

しかも、京都市内は市バス以外にも、京阪バスや阪急バスなども運行している。これだけバス路線が充実している都市は、ほかにないだろう。

バスが便利といえるもう1つの都市が神戸だ。市内中心部は市バスと神姫《しんき》バスと神戸交通振興が運行し、垂水《たるみ》区では山陽バス、西区は神姫バス、北区は阪急バスと神姫バスが走っている。

神戸のバスの目玉といえるのが、観光バスである「シティループ」。神姫バスが運営し、北野異人館、南京町《なんきんまち》、旧居留地、メリケンパーク、ハーバーランドなどの観光地をつなぐ。緑色のクラシカルな車体が特徴で、乗り降り自由な1日乗車券は大人700円。坂の多い神戸の街をラクチンに楽しめるのだ。

Kansai

滋賀県では全長66mの路面電車が走っている

「路面電車は自動車との併用軌道《きどう》を走る」といえば、「そんなの当たり前」という声が聞こえてきそうだ。

しかし、「4両編成の列車が車道を走る」となれば、「ええ！」と思うかもしれない。そんな堂々とした姿が見られるのが滋賀県大津市。路線は京阪の大津線だ。

大津線は京津線《けいしん》と石山坂本線の総称で、石山坂本線は大津市内を走り、京津線は京都市と大津市を結ぶ。

両路線とも併用軌道が設けられ、石山坂本線は2両編成の車両だ。だが、京津線の車両は1両の長さが16・5メートル。4両編成なので66メートルにもなる。そんな70メートル近い列車が、街の中心部を堂々と走る。

京津線が、どうしてそんな長い車両を走らせるのかというと、京都市地下鉄に乗り入れているためだ。

京津線の歴史は古く、京津電気軌道が京都の三条と大津市の中心部を結ぶ路線の敷設を国に出願。1912年に一部が開業し、全線が開通したのは京阪と合併した1925年だ。

かつては京都市内と大津市内を直接結んでおり、さらに京阪本線ともつながっていた京津線だが、1995年に京都市営地下鉄東西線への乗り入れが決定。2年後に東西線が開通すると、京津三条駅から御陵駅までの区間を廃止する。御陵駅は東西線と共有の地下駅となり、京津線は京阪本線から分離された。

ただ、御陵駅を出てからの地上路線はそのまま残され、上栄町駅からびわこ浜大津駅間0・8キロの併用軌道も変わらず使用されることとなる。

そのうえ地下鉄への乗り入れで、東西線太秦天神川駅《うずまさてんじんがわえき》までの直通列車も運行。地下鉄に2両編成の列車を走らせるわけにもいかず、乗り入れ車両は4両となる。

軌道運転規則で併用軌道を走る列車長は30メートル以下と定められているが、京津線は特例として認可された。これがダイナミックなシーンを生み出す結果となったのだ。

一方の石山坂本線は、基本的には2両編成だ。併用軌道はびわ湖浜大津駅～三井《みい》寺《でら》駅間の0・4キロ。短い距離ではあるが道路の道幅が狭いところもあり、自動車との並走が無理な場所がある。それどころか、自動車のみならず、自転車や歩行者も道路わきで列車の通過を待たされることもある。

石山坂本線の沿線は比叡山延暦寺《ひえいざんえんりゃくじ》や三井寺、紫式部が『源氏物語』を書き始めたとされる石山寺など、名所が多い。京都をめぐって時間に余裕があれば、地下鉄直通でびわ湖浜大津までいき、石山坂本線に乗って大津市内をめぐるのも悪くはない。

Kansai

関西の中小私鉄はこんなにもユニーク

全域ではないにしろ、やはり関東などとは私鉄の充実度が異なる関西。旧国鉄とは競合関係にあったため各私鉄はサービスの充実化を目指し、自動改札の導入も首都圏より早かった。

代表格は近鉄、阪急、阪神、南海、京阪の5大私鉄だが、大手が経営に関与しない中小私鉄も多く残っている。

大阪府だと「水間《みずま》鉄道」が有名だ。1925年に水間観音への参詣線として開業し、貝塚駅から水間観音駅までの5・5キロを結んでいる。

1950年代には和歌山県まで延伸する計画もあったが、資金不足により中止。当初は参詣用だった路線も近年は通勤・通学客が主な利用客となっている。

堺市から和泉市に広がる泉北ニュータウンの基幹路線である「泉北高速鉄道」は2014年から南海の子会社。1970年の大阪万博のときに開業した「北大阪急行電鉄」は阪急の子会社、路面電車の「阪堺電気軌道」も南海の子会社なので、大阪での独立した私鉄路線といえるのは水間鉄道と第三セクターの「大阪モノレール」だけといえる。

和歌山県の独立した私鉄といえば、「紀州鉄道」と「和歌山電鐵」である。紀州鉄道はJR御坊駅の敷地を間借りしているが経営面では独立しており、本社があるのは東京都だ。御坊駅から西御坊駅までの区間は約2・7キロしかなく、「日本一短い私鉄」と呼ばれることもある。

一方の和歌山電鐵は岡山電気軌道の完全子会社で、もとは南海貴志川《きしがわ》線。2006年に運行を引き継ぎ、「いちご電車」や「うめ星電車」といった内装や外装を工夫した車両や、終点の喜志駅は駅長ネコの「たま」がいることで有名だ。

そうした中小私鉄には歴史の長い路線もあり、滋賀県東部を走る「近江鉄道」は1896年の設立以降、一度も名称を変更していない。また西武グループに属しているため、旧西武鉄道の改造車両を多く抱えている。

このほかにも滋賀県には「信楽《しがらき》高原鐵道」が貴生川から信楽間をつなぎ、旧国鉄の信楽線を継承する形で第三セクターが運営している。

兵庫県では、法華口《ほっけぐち》駅、播磨下里《はりましもさと》駅、長《おさ》駅の3駅が国の有形文化財に登録された、県中部を走る元国鉄北条線の「北条鉄道」、相互乗り入れで奈良から姫路までの直行便も走る「山陽電鉄」があり、「神戸電鉄」が神戸新開地から有馬温泉や三田《さんだ》市や三木市、小野市などを結んでいる。なお神戸電鉄は阪急阪神東宝グループに属しているものの、子会社ではない。

京都府の「京都丹後鉄道」は宮津駅を

関西の独立系中小私鉄

府県名	鉄道会社名	特徴
大阪府	水間鉄道	1925年、水間観音への参詣線として開業
	大阪モノレール	第3セクター
和歌山県	紀州鉄道	約2.7キロで「日本一短い私鉄」といわれることも
	和歌山電鐵	「いちご電車」「うめ星電車」駅長ネコの「たま」が有名
滋賀県	近江鉄道	1896年設立。旧西武鉄道の改造車両がある
	信楽高原鐵道	旧国鉄の信楽線。第3セクター
兵庫県	北条鉄道	旧国鉄の北条線
	山陽電鉄	相互乗り入れで奈良から姫路までの直行便がある
	神戸電鉄	阪急阪神東宝グループ。ただし子会社ではない
京都府	京都丹後鉄道	旅行会社WILLERグループが事業者

起点に宮舞線、宮福線、宮豊線の3路線をもち、JRとの直通特急も走っている。しかし運営はJRではなくWILLERTRAINSだ。元々は旧国鉄の路線だったが、国鉄解体後に第三セクター路線となった。だが赤字額の増大で、施設は所有しつつ、運行を外部企業に委任する上下分離方式による立て直しを決定。事業者となった旅行会社WILLERグループにより2015年に発足した。

京都市では「京福電鉄」（嵐電《らんでん》）が一部区間で路面電車を走らせている。また、鞍《くら》馬《ま》や比叡山への足として利用されるのが「叡山電鉄」だが、こちらは京阪の完全子会社。トロッコ列車で有名な「嵯峨《さが》野《の》観光鉄道」もJR西日本の子会社である。

このように、関西には大手に属さない私鉄が多数ある。では残る奈良県はというと、じつはない。1963年の奈良電鉄と近鉄の合併で独自の私鉄は消え、現在は近鉄とJR、もしくはそれらのローカル線のみ。特に近鉄の路線網が充実しているため、私鉄大国ならぬ「近鉄王国」といえるだろう。

Kansai

私鉄を震撼《しんかん》させた「大阪市営モンロー主義」とは？

戦前の大阪市は、「市内交通は市民の利益が最大となるよう市営にておこなう」とした基本方針をもっていた。南海が難波駅、阪神と阪急が梅田駅、戦前の近鉄が上本町《うえほんまち》駅と阿部野橋《あべのばし》駅、開業当時の京阪が天満橋《てんまばし》駅と、市内中心部ではなく周辺にある駅をターミナルとしたのもそのためだ。

これは国の交通機関も例外ではなく、大阪市には東京の山手線のような中心部の外周を通る環状線はあっても中央線のような市内を通過する路線は存在しなかった。

この大阪市の方針を「大阪市営モンロー主義」ともいう。「モンロー主義」とは、第5代ジェームズ・モンロー米大統領による外交姿勢のこと。「アメリカは他国には介入せず、また他国のアメリカへの介入は許さない」と提唱し、1823年に議会で発表した。

この孤立主義になぞらえ、「都心部の鉄道は大阪市が仕切ります！」という態度をモンロー主義と呼んだのだ。

だからといって、各鉄道会社が指をくわえて黙っていたわけではない。元々京阪は開業時に現在の中央区にある高麗橋の起点を予定していたが、市の反対で中心部の東側にある天満橋に変更する。以後、梅田への乗り入れは悲願となり、紆余曲折《うよきょくせつ》を経て1963年に淀屋橋まで延伸する。

南海も梅田までの路線延伸を計画していて、何度も市に申請していたが、すべて却下。これが遺恨《いこん》となり、1948年に市が地下鉄四つ橋線を大阪市内の玉出から堺市の大浜まで延ばそうとしたとき、南海は猛反対する。その区間は南海本線と競合するためだ。

「大阪に入るなっていうてるくせに、自分らが外に出てくるちゅうのは、どういうこっちゃ！」というわけだ。

近鉄も1922年頃とその10年後から難波への乗り入れを計画していたが、いずれも大阪市が反対。戦後の1946年にも反対を受けるが、59年にようやく運輸省（現国土交通省）から免許を受けることができた。

そんなモンロー主義に風穴《かざあな》を開けたのがJR東西線だ。当初、東西線は片町線（学研都市線）と福知山線を結ぶ「片福連絡線」として計画され、1981年に運輸省（現国土交通省）から許可も受けたが、国鉄の財政難を理由に着工が見送られる。

その後、国鉄の分割民営化によってJR西日本が免許を引き継ぐも、やはりお金がない。そこで第三セクターの関西高速鉄道が設立され、JR西日本に加えて大阪市をはじめとする周辺自治体や大手民間企業が出資。関西高速鉄道が鉄道施設を保有し、JR西日本が旅客運送業務を担うという形が取られるようになる。

つまり、市街地の郊外化もあって、市は中心部だけの交通網整備に力を注ぐわけにはいかなくなる。財政難も深刻だ。負担を少なくして郊外からの需要を満たすには、私鉄やＪＲの既存路線延伸に頼らざるをえなかったのだ。

地下鉄中央線のように「大阪のど真ん中をズドンとつらぬく！」というわけではないが、それでもＪＲ東西線は京橋からキタの中心部を通って尼崎にいたるという、従来では考えられないルートを取り、学研都市線から福知山線や神戸線への直通が可能になった。

この東西線の開通により大阪市のモンロー主義は形骸化。２００８年には京橋駅から中之島駅を結ぶ京阪中之島線が開業し、２００９年には阪神がなんば線を開通して近鉄の大阪難波駅を共用する。

両社の相互乗り入れが実現し、奈良から大阪市内を通過して神戸までの直通運行が可能となる。２０１７年には市営地下鉄の民営化も決定し、モンロー主義は幕を閉じたのである。

Kansai

京都ならではの市営地下鉄の悩みとは

奈良市内では、広い敷地を生かした建築ができないという。その理由は、掘れば何かが出てくるから。この「何か」とは遺跡のことである。同じ悩みを抱えるのが京都市で、そのために地下鉄を延ばしたくても、なかなかそうはいかないらしい。

京都市は、日本で初めて路面電車（市電）が走った街だ。そのきっかけとなったのが琵琶湖疏水《そすい》。この琵琶湖疏水で引き入れた水を利用して電気を起こし、その電気を活用したのが市電なのだ。

市電は京都市内を縦横につないだが、モータリゼーションの発展で邪魔者あつかいされる。代わりに計画されたのが、バス路線網の拡充と地下鉄の開業だ。ただ、バスは運べる乗客の数が少なく、タクシーや一般車両の通行の妨げにもなる。道路の状況によっては到着に遅れが生じてしまう。それらを解消するためにも、地下鉄の敷設が急がれた。

1978年に市電が全廃され、3年後には地下鉄烏丸《からすま》線が開業。東西線は1997年に開業する。当初、烏丸線は北大路駅から京都駅間、東西線は醍醐《だいご》駅〜二条駅間での開業だったが、2008年には現在の形が整う。

これらの路線はさらなる路線拡張も計画され、東西線太秦天神川駅から阪急上桂駅と洛西ニュータウン駅を経由して阪急長岡天神駅まで、烏丸線は竹田駅から油小路を通り、三栖か横大路駅につなげる予定だった。

これらの案は近畿地方交通審議会で答申されており、さらには国際会館から岩倉駅をつなげる構想もあがっている。だが延伸計画は、まだ実行されてはいない。理由は、京都市交通局の財政難と冒頭に記した遺跡の発見だ。遺跡が見つかると、調査が終わるまで工事を中断しなければならない。

もし、歴史的価値が大きなものならば工事計画の変更も余儀なくされる。京都の地下鉄がかなり深い地下を走っているのは、遺跡をよける目的もあるのだ。

地下鉄の沿線にも観光名所はあるものの、金閣寺や銀閣寺、清水寺といった有名どころは駅から遠く、嵐山や伏見は路線すら通っていない。バスを利用したほうが便利だが、観光シーズンになると到着しても満員で乗れないことがある。

地下鉄とバスで併用できる1日乗り放題券は1100円、バスだけなら700円（いずれも大人料金）。この料金が高いか安いかは移動する距離にもよるが、まだまだバスが優位な立場にあることは間違いない。

Kansai

関西の大手私鉄はどうやって拡大してきたか？

まだ日本に鉄道が敷かれて間もない明治時代、関西には関西鉄道という巨大民間鉄道会社が存在した。営業エリアは大阪府、京都府、奈良県、滋賀県、和歌山県、三重県と広範囲にわたり、設立以降に合併した会社は浪速鉄道、城河鉄道、大阪鉄道、紀和鉄道、南和鉄道、奈良鉄道など数多い。

しかし1907年、鉄道国有法によって国有化。現在のJR関西本線、草津線、片町線、和歌山線、奈良線などは関西鉄道を前身とする。

このように、鉄道路線を拡充させるのには、自社で延伸させるか既存の鉄道会社と合併する方法がある。また国の政策によって、合併せざるをえなかった時代もある。それは現在の私鉄大手5社も例外ではない。

関西最古の大手私鉄は南海電鉄で、1884年設立の大阪堺間鉄道（同年に阪堺鉄道と改称）を前身とし、難波～大和川間を結んでいた。1895年には南海鉄道（現南海電気鉄道）と改称。1903年には難波～和歌山間が開通し、22年には大阪高野鉄道、高野大師鉄道（現高野線）と合併して現在の南海の基礎ができた。

ちなみに南海は1940年に阪和電気鉄道と合併し、南海山手線としている。だが、山手線は44年に国へ譲渡。これが現在のJR阪和線である。

そんな南海には、戦前に近鉄と合併していた時期がある。近鉄の前身は1910年設立の奈良軌道（後に大阪電気軌道）で、40年の陸軍統制令で参宮急行電鉄と合併し関西急行鉄道となった。

関西急行鉄道と南海が合併したのは1944年。陸上交通事業調整法に基づく軍の要請で両社は1つとなり、近畿日本鉄道となる。そして終戦後の1947年に南海が分離独立し、現在の南海と近鉄が成立したのだ。

また、京阪と阪急も戦時要請で強制合併している。京阪の設立時期は1906年。以後は京津電軌、琵琶湖鉄道汽船、新京阪鉄道と合併して経営拡大をつづけた。

一方の阪急は、1907年に箕面《みのお》有馬電気軌道として設立。18年には阪急急行電鉄に社名を改めていたが、太平洋戦争が勃発すると、全国的な交通機関の統廃合が加速した。

阪急と京阪も戦時統制の一環として、1943年に京阪神急行電鉄となる。再分離したのは49年。旧新京阪鉄道の路線（現阪急京都線）を除く京阪系が独立し、京阪電鉄として再出発を果たす。阪急は1973年に阪急電鉄と名称を変更して現在に至るのだ。

そんな阪急は阪神と事実上の合併状態にある。といっても、統合されたのは路線ではなく親会社だ。阪神は1899年に発足し、同じ大阪梅田～神戸三宮間を並行する阪急とはライバル関係にあった。

ところが、阪神の株式を大量取得した村上ファンドが経営統合を提案。2006年に阪急との交渉がまとまり、阪急阪神ホールディングスとなった。路線統合こそなかったが、両私鉄は実質的な兄弟路線となっている。

なお、当初の計画では京阪と統合する予定だったようだ。もし実現していたら、京都と神戸にまたがる一大鉄道会社が生まれていたかもしれない。

Kansai

阪和vs南海鉄道の熾烈《しれつ》なバトルとは

方言が乱暴なことでも有名だが、大阪南部の泉州人は血の気が多いともいわれている。それを象徴するかのような出来事が、昭和初期に起きている。しかも、鉄道会社の社員同士が熾烈《しれつ》な集客争いを繰り広げたという、現在ではちょっと信じられないような事件である。

1929年、JR阪和《はんわ》線の前身である阪和鉄道は、鳳《おおとり》駅から支線（現東羽衣線）を延ばして阪和浜寺駅を開設する。その目的は駅近くにある浜寺公園の観光需要だ。

当時の浜寺公園は白砂青松《はくしゃせいしょう》の名勝地で、園内には数軒の料亭が営まれており、堺市出身の与謝野晶子《よさのあきこ》が与謝野鉄幹《てっかん》と親しくなった歌会もおこなわれたという観光名所だった。

夏には公園の海岸に海水浴場も開かれ、海水浴客で大賑わいとなる。今でこそ東羽衣線はワンマン運転のピストン運行だが、開通当時は阪和天王寺駅（現天王寺駅）からの直通列車も走らせていたという。

黙っていないのが、先に浜寺に進出していた南海だ。両社は対立し、乗客の奪い合いをめぐってバトルが勃発。呼び込み合戦で社員同士による取っ組み合いの暴力事件も起きる。

阪和浜寺駅から浜寺公園に行くには南海の踏切をわたる必要があったため、南海がわざと低速のノロノロ運転をし、開かずの踏切にするという嫌がらせもあったという。

この背景には阪和鉄道とともに海水浴場を開いた大阪朝日新聞社と、南海と共同で独自の海水浴場をつくった大阪毎日新聞社の確執が大きかったともいわれる。

このトラブルは国の要請時にも発生した。１９３３年、鉄道省は南海と阪和鉄道に大阪市から南紀地域まで直通の観光特急の運行を打診。難波駅もしくは阪和天王寺駅から東和歌山駅（現和歌山駅）・和歌山市駅まで両社が特急を走らせ、そこから鉄道省の紀勢西線（現・紀勢本線）にバトンタッチするという計画だ。

阪和側はこれを承諾し「黒潮号」の運行を開始。阪和天王寺駅から東和歌山駅までの所要時間は45分、表定時速81・7キロ。これは戦前の日本としては最速で、鉄道省の誇る燕《つばめ》よりも速い超特急だった。

一方の南海は鉄道省の打診を拒否。独自の直通電車「朝潮号」の実用化を計画する。しかし導入に失敗し、当初の要請どおりに1934年から難波発の黒潮号を運行させた。

それでもライバル関係は収まらない。阪和は岸和田市にある春木競馬場の最寄りである久米田《くめだ》駅まで臨時列車を走らせて運賃を2割引きにしたり、南海側は阪和に先んじて日本初の冷房列車を導入したりと両社の集客合戦はつづく。

しかし、1940年、阪和鉄道は南海電鉄へ吸収合併され南海山手線となり、バトルは終結。翌年、阪和浜寺駅は山手羽衣駅と改称する。44年には南海山手線は国に買収され、山手羽衣駅は東羽衣駅となり現在に至っている。

Kansai

かつては日本最長だった大阪モノレール

現在、日本で公共交通機関としてモノレールが運行されている路線は10路線。そのうち路線距離が10キロを超えるのは、東京モノレールの羽田空港線、多摩都市モノレール線、千葉モノレール2号線、沖縄都市モノレール線と大阪モノレール線だ。なかでも大阪モノレール線は28キロともっとも長く、かつては世界最長でもありギネスブックにも登録されている。

だが、2011年に中国の重慶軌道交通3号線（39・1キロ）が開業すると、トップの座を退いている。

大阪モノレールの本線は駅数が14駅。万博記念公園駅から分岐した彩都線をふくめると18駅となる。2つの路線をもつのは日本国内だと大阪モノレールだけである。

開業は1992年だが、計画が考案されたのは60年代。1970年の大阪万国博覧会開催に先立ち、観客輸送を円滑化するため路線の開設が唱えられた。この案は不採用となったものの、70年代後半に再び注目を集めることとなる。

国鉄（当時）や大手私鉄といった大阪府の鉄道路線は、大阪市内と周辺都市を放射状に結んでいた。そのため違う路線に乗り換えるためには、一度大阪市内に出るか、ほかの陸上交通を利用する必要があった。この不便を解消し、放射状の路線を円形につなぐ手段とされたのが大阪モノレールだったのだ。

路線開設のために大阪府と各種鉄道企業は、1980年に第三セクター方式の大阪高速鉄道を設立。地下鉄や地上路線ではなくモノレールとなったのは、大阪中央環状線（府道2号線）や近畿自動車道などの整備費用が兼用でき、鉄道会社の負担軽減と工事の効率化が見込めるからだ。

しかし土地買収の難航で路線の開通は1990年となる。この年に千里中央から南茨木間が開通。4年後には千里中央から柴原（現柴原阪大前）まで延伸し、1997年4月に大阪空港から柴原、8月には南茨木から門真《かどま》市までの区間が開通した。さらに京阪本線、地下鉄谷町線、阪急宝塚線などへの接続も実現し、各路線を結ぶバイパスにもなっている。

2007年には、万博記念公園から彩都西への彩都線延伸も実行。茨木市と箕面市間の国際文化公園都市（彩都）の交通アクセスとするためだ。

将来的には、2029年を目途《めど》に門真市から東大阪市の瓜生堂《うりゅうどう》へと延伸される計画も組まれている。その途中の4駅では近鉄奈良線などとの接続が予定され、実現すれば既存鉄道との連携がより強化されるだろう。

9 知られざる2府4県の文化と歴史

たとえば——

古墳の数、兵庫県が関西一である謎

Kansai

阪神（大阪〜神戸）間はなぜハイカラ文化なのか？

芦屋市六麓荘町《ろくろくそうちょう》という全国随一の高級住宅街があり、関西人垂涎《すいぜん》の地域といっても過言ではないのが兵庫県の阪神地域。特に兵庫県西宮市から神戸市までは「阪神モダニズム」とも呼ばれたエリアだ。

大阪・神戸という大都市にはさまれ、北に六甲山系、南に瀬戸内海とロケーションがよく、鉄道路線も阪急、ＪＲ、阪神と３路線が東西に通じていて交通アクセスも抜群だ。

では、なぜ阪神モダニズムは誕生したのか。１つはやはり、大都市間をつなぐという立地にある。

大阪は江戸時代からの商業都市であり、明治時代に入ると重工業も発達する。幕末に開港した神戸も発展し、東洋一の港湾都市として拡大していた。そして、この両都市を結ぶ官営鉄道（現ＪＲ）と阪神電鉄、阪神急行電鉄（現阪急）が開業。利便性は高まった。

この便利さと、山があり、海があるという風光明媚《ふうこうめいび》もあって、大阪の船場《せんば》商人や企業経営者が別荘地として利用する。中心となった住吉村（現神戸市東灘区）は「日本一の富豪村」と呼ばれるほど富裕層が集中した。

この状況を見て、阪神電鉄は地域の土地をリゾート地として宅地開発をして販売。阪急も創業者の一人である小林一三《いちぞう》の経営方針に基づき、沿線で住宅を売り出す。阪神が富裕層向けだったのに対し、阪急は中堅サラリーマンをターゲットにした戦略を取っている。

１９２０年代に入ると、大阪は東京をしのぐ「大大阪時代」を迎える。しかし、大阪市内は無秩序な工場の乱立により「煙都」と呼ばれるほど大気の汚染が進む。すると、別荘地を本宅とする住民が増加。さらに拍車をかけたのが、１９２３年の「関東大震災」だ。このとき関東在住の多くの文化人が阪神間に移住。文豪の谷崎潤一郎が京都を経て西宮に居を移したのも、このときだ。

豊富な資金と優れた文化が阪神間には流入し、多くの邸宅が建てられる。住宅だけでなくホテルや遊園地といったアミューズメント施設も設けられ、阪神間ならではのライフスタイルが確立。六麓荘町は国有林地であったが、１９２８年に民間に払い下げられると、大阪の財界人らによって開発が進められ、現在のような高級住宅地へと変貌《へんぼう》したのだ。

1995年の阪神淡路大震災で、阪神地域も甚大《じんだい》な被害を受けた。それでも「モダニズム」と称された雰囲気は、今も損《そこ》なわれてはいない。

Kansai

だんじり祭りは岸和田市だけではない

2023年4月、曳行中《えいこう》の「だんじり」が横転し、重傷者が出たとのニュースが報道された。これに雑誌系のネットニュースなども追従し、廃止論や抑制論も取りざたされる。

これらの意見はさておき、今回の事故が起きたのは大阪府堺市ということだ。「だんじり祭り」といえば、岸和田市を思い浮かべる人がほとんどだと思う。ただ、だんじりは関西全域に分布していて、そのなかで特に岸和田の祭りが有名だということに過ぎない。

だんじり祭りは大阪府の全域や兵庫県、奈良県、和歌山県の一部でもおこなわれているのだ。

そもそも関西では山車《だし》のことをだんじりという地域が多く、その種類も多様だ。また関西だけでなく、西日本各地では祭礼の出し物を「だんじり」と称するところがあり、山車だけではなく神輿《みこし》のように担ぐ出し物をだんじりと呼ぶ地域もある。「長崎くんち」で担ぎ出されるコッコデショは、別名「堺だんじり」だ。

よく「関東は神輿、関西は山車」という言い方もされるが、神輿は少ないにしても担いで練《ね》り歩く形式の祭りは関西にも多い。

1つは姫路市周辺で担ぎ出される「屋台」である。屋台は神輿のような形をしているが別物だ。神輿は字のとおり「神様の輿＝乗り物」ではあるが、屋台に神様はのっていない。また、姫路の屋台といえば白浜町の松原八幡神社秋季祭礼、別名「灘のけんか祭」が有名だが播州地方ではほかの地域でも屋台は登場する。

ほかに担ぐ出し物といえば「布団《ふとん》太鼓」だろう。布団太鼓は太鼓台ともいわれ、だんじり以上に分布範囲は広い。大阪府でも堺市や貝塚市、東大阪市などでは布団太鼓の祭りで、淡路島や四国などでも見られる。播州地方でも明石市などで担がれ、長崎のコッコデショも布団太鼓の一種だ。

山車の祭りといえば、全国的に有名なのが

京都の祇園祭。山鉾《やまほこ》の巡行《じゅんこう》が山場であり、日本三大祭りの1つでもある。この山鉾巡行に似た祭りをおこなうのが滋賀県だ。滋賀県の大津市や長浜市などでは、「曳《ひき》山《やま》」と呼ばれる山車が曳行《えいこう》される。曳山の形は京都の山鉾に似ていて、祇園祭の影響を強く受けていることがうかがえる。

そのほかにも関西にはさまざまな祭りがあり、場所は違えども同じような形式でおこなわれることも多い。

だんじりが重大な事故を起こしたからといって、「やっぱり岸和田は……」と決めつけられるのは、地域の当事者として大迷惑なのだ。

Kansai

なぜ、大阪に小田原北条家の末裔の藩があったのか

小田原城を本拠とし、一時は関東一円を支配した戦国大名の北条氏。早雲《そううん》を始祖とし、4代目氏政のときには武田氏の滅亡で大大名となるが、1590年に豊臣秀吉による小田原攻めで戦国大名家としての北条氏は滅びている。しかし、その子孫は存続し、現在の大阪狭山《さやま》市に立藩したのが狭山藩である。

小田原攻めにて主戦派の氏政は切腹となるが、家督を譲《ゆず》られていた次男の氏直と

親族は高野山行きで赦《ゆる》された。そして氏直が病死すると叔父の氏規が跡を継ぎ、子の氏盛が関ケ原の合戦で活躍。その功績が徳川家に認められ、1万1000石の大名として狭山の藩主となったのだ。

小藩のため城を構えることはできなかったものの、狭山陣屋を本拠として幕末を迎えている。

狭山藩に城郭はなかったが、現在の大阪府下で城もち大名だったのが岸和田藩の岡部氏だ。岸和田城は豊臣秀吉の時代に小出氏が築城したとされるが、1640年以降は岡部宣勝《のぶかつ》とその子孫が幕末まで統治した。

徳川側近の岡部氏が岸和田におかれたのは、「幕府に反抗的な紀伊徳川家の監視のため」というのが通説だ。

そんな宣勝が岸和田に入る前に治めていたのが高槻《たかつき》藩で、城郭も構えていた。戦国時代はキリシタン大名である高山右近の居城があったが、江戸時代には岡部氏や松平氏を経て永井氏の領地となる。

永井氏は京都所司代や大坂城代の代理を任されるほど徳川家に重んじられていたが、幕末では新政府軍に恭順《きょうじゅん》している。一方、岸和田藩は佐幕派と新政府派の内紛を起こし、最後は新政府軍側に味方した。

なお、大阪市の中心部は幕府の直轄地だったが、江戸初期には藩がおかれたこともある。1615年の大坂の陣で豊臣家が滅亡すると、徳川家康は孫の松平忠明を入封。成立したのが10万石の大坂藩だ。

忠明は夏の陣で壊滅状態になった大坂の復興事業に従事しつつ、堀川の開削《かいさく》や市街地の改造拡大にも着手していた。

しかし1619年に郡山藩（現奈良県郡山市）に移封となり、大坂藩はわずか4年で消滅。だが、開削事業はその後も引き継がれ、現代の大阪の下地が形成されたといわれる。

なお、現在の大阪城天守は1931年に復興されたもので、岸和田城の天守は54年に再建。高槻城は1871年に廃城となり、その後再建はなされていない。

Kansai

甲子園での優勝回数が多い府県はどこ？

全国高校球児の憧れである阪神甲子園球場。ここで夏におこなわれる大会が「全国高等学校野球選手権大会」で、春に実施されるのが「選抜高等学校野球大会」である。

２０２０年は新型コロナウイルスの流行で戦後初の中止となるが、翌年からは無事再開。夏の大会では和歌山県の智辯和歌山と奈良県の智辯学園の兄弟校対決が実現し、智辯和歌山が優勝するというドラマも生まれている。

この大会だけでなく、甲子園の優勝校は関西勢が圧倒的に多い。実際、夏の大会で優勝経験がもっとも多い都道府県は大阪府だ。第１回大会（１９１５年）から第１０４回大会（２０２２年）までの優勝回数は14回。通算勝率も０・６６９と断トップである。

２位は和歌山県と愛知県が8回で同率。そのほかの関西勢といえば4位に兵庫県、9位に京都府がトップテンにランクイン。それ以外の地域は関東勢が2校、四国、東海、九州が1校ずつとなっている。ちなみに奈良県は12位、滋賀県は30位である。

春のセンバツは大阪が優勝12回で、こちらでも1位。兵庫が4位、和歌山が5位、京都と奈良が同率の15位で滋賀は30位である。

ではなぜ甲子園では関西勢が強いのか？　諸説あるので一概にはいえないが、気候と距離が理由の１つだとされる。

夏場の関西は関東より暑くなりやすい。甲子園の日中気温が35度を超える日も珍しくないほどだ。関西球児は体が慣れているが、比較的涼しい関東・東北の球児にはかなり厳しい。そこに長距離遠征の疲れも重なり、本来の力を発揮しきれないことも多いという。

関西の野球環境に理由を求める説もある。大阪は少年野球も盛んなため高校にも優秀な選手が進学しやすい。そのため高校も野球部が自然と強くなるというわけだ。

しかし、近年では甲子園の関西優位も揺るぎつつある。2022年度の夏大会では仙台育英高校が東北勢で初の甲子園優勝を果たし、23年春のセンバツでは兵庫県の報徳学園を山梨学院が破り、山梨県としても初となる優勝を飾っている。

すでに関東・東北が上位に食い込むことは珍しいことではなく、甲子園の「西方優勢」が覆る日もそう遠くはないのかもしれない。

Kansai

じつは関西発だった有名企業の数々

大阪発祥の大企業として印象に強いのは、洋酒メーカーのサントリーかもしれない。1899年に鳥井信治郎が大阪市西区でブドウ酒の製造販売を手がけたのが始まりで、2009年には持ち株会社のサントリーホールディングスを設立。

ただ、ホールディングスの本社は大阪だが、グループ会社の多くは東京に本社を置いている。

　大阪の有名企業といえば、パナソニックも外せない。創業者で「商売の神様」ともいわれた松下幸之助は和歌山県出身。1918年に大阪市で松下電気器具製作所を創立し、門真《かどま》に本社を置いたのは1933年のこと。パナソニックと社名を変えた今も登記上の本店は門真市だが、本社機能は東京都港区においている。

　そして、薬品メーカーが多いのも大阪の特徴だ。大阪市中央区の道修町《どしょうまち》は江戸時代から薬の町として知られ、小林製薬、塩野義製薬、武田薬品工業、田辺三菱製薬などの本社は、すべて道修町である。

　売り上げ別では商社で2位の伊藤忠商事も関西発祥で、創業地は滋賀県だ。1949年に伊藤忠商事となり67年には東京支社を本社に改称。東西の二大本社制を敷き、現在も東京と大阪梅田にも本社ビルがおかれている。

　同様に、日清食品も東京と大阪の両方に本社を構えている。もちろん誕生の地は大阪で1948年に泉大津市で設立した中交総社から始まり、チキンラーメンが発売された1958年に日清食品となる。

　京都発の全国企業といえば京セラと任天堂、島津製作所、女性用下着のワコールなどがある。

京セラは１９５９年に中京区で設立された京都セラミックから始まり、任天堂は１８８９年に下京区で花札屋として開業。島津製作所は１８７５年に創業し、ワコールは１９４６年の創業で、いずれの会社も本社は京都だ。

兵庫県では、三大重工企業の一角をなす川崎重工、神戸製鋼や住友ゴムといった重化学工業企業や伊藤ハム、カネテツデリカフーズ、ＵＣＣ上島珈琲などの食品メーカー、日本初生活協同組合「神戸購買組合」、現在のコープこうべも兵庫県発祥だ。

奈良県発祥の全国に名高い企業といえばダイドードリンコ。同社はＤｙＤｏグループの飲料会社で、本社は大阪の中之島だが、その始まりは奈良県南葛城郡《かつらぎぐん》の薬配置業だ。

和歌山県なら「キンチョウの夏、日本の夏」のフレーズで有名な大日本除虫菊が有田郡（現有田市）創業（現本社は大阪市）。現在も蚊取り線香生産のシェアは和歌山県が１位なのだ。

Kansai

古墳の数、兵庫県が関西一である謎

全国の各自治体が認知する古墳・横穴の総数は15万９９５３基（２０２１年度時

点）。そのうち約30パーセントに当たる約4万7000基が、関西の2府4県に集中している。

古墳が建造された当時の機内はヤマト王権の中心地だったので、政権内の有力者や各地の豪族が、権力を誇示するために巨大古墳を次々に築造したのだ。

関西で有名な古墳群といえば、ユネスコ世界遺産に登録されている大阪府堺市の百舌鳥《もず》古墳群と藤井寺市から羽曳野《はびきの》市にまたがる古市《ふるいち》古墳群だろう。百舌鳥古墳群は百舌鳥野台地西橋から大阪湾岸までの約4キロに分布し、大小合わせて44基の古墳が現存している。そのなかでも大仙《だいせん》古墳は全長約486メートルの日本最大の前方後円墳として知られ、仁徳《にんとく》天皇の陵墓とする説もある。

また、古市古墳群も45基が現存する大規模古墳群だ。もっとも大きいのは全国2位の誉田御廟山《こんだごびょうやま》古墳（応神《おうじん》天皇陵）。双方を合わせて49基が世界遺産に登録されており、まさに日本を代表する古墳群だといえよう。

とはいえ、ヤマト王権の中心は奈良県だ。日本最古級の前方後円墳といわれる箸《はし》墓《はか》古墳をはじめ、全国6位の規模を誇る五条野丸山古墳、宮内庁によって第12代景《けい》行《こう》天皇の陵《みささぎ》に治定《じじょう》されている渋谷向山古墳など、大阪に負けず劣らずの巨大古墳が多い。

古墳群としては奈良盆地東南の山麓に沿って、纏向《まきむく》古墳群、柳本古墳群、大和古墳群の3古墳群が並び百舌鳥・古市古墳群以前の4世紀後半に築かれた古墳が多い。また、4世紀末から200年も造墓がつづいたとされる新沢千塚古墳群が、奈良盆地南部の丘陵上に広がっている。渡来人との関係性が深いとされ、126号墳からは大陸製の副葬品が多数出土しており、国の重文指定を受けている。

さらに、新沢千塚古墳群の南部にある与楽《ようらく》古墳群も渡来《とらい》系氏族の墓域と考えられている。

京都府の古墳群といえば乙訓《おとくに》地域の乙訓古墳群が有名だ。向日《むこう》丘陵一帯の歴代首長がつくったとされる。

首長の古墳が1つの地域に集まる例は極めて珍しく、現在は13基の古墳が国の史跡として保存。そのなかの五塚原古墳は、箸墓古墳と並ぶ日本最古級の前方後円墳として知られている。

意外なのは兵庫県だ。兵庫県は全国でもっとも古墳が多く、その数は約1万9000基。古代の兵庫一帯には王権と密接に関わる有力豪族《ごうぞく》が多く住み、その権勢を誇示するために、古墳の建造ラッシュが起こったようだ。

そのため播磨・摂津地方を中心に巨大古墳が密集している。そうした歴史的背景から、県内には姫路市の見野古墳群、加古川市の西条古墳群、日岡山古墳群のような古墳群も数多い。

ただし大阪や奈良とは違って巨大古墳は少なく、最大の五色塚古墳でも全長は194メートル。大仙古墳の半分にも満たない。この五色塚古墳は明石海峡の間近につくられ、1977年には復元整備も実施されている。

通常、古墳は樹々に覆《おお》われた小山というイメージだが、五色塚古墳の墳丘は葺石《ふきいし》が敷かれて円筒埴輪が並べられるという、築造当時そのままの姿が見られる。

滋賀県の古墳群といえば、雪野山と玉緒山の間に位置する木村古墳群がある。日本有数の大型方墳の天乞山《あまごいやま》古墳を筆頭に、5基以上の大型古墳が集中。

そして残る和歌山県では、岩橋千塚古墳群の名が挙げられる。紀伊国の豪族である紀氏に関連すると考えられ、博物館施設「県立紀伊風土記の丘」として整備。古墳群の西には日前宮が鎮座《ちんざ》し、この神社の神官は代々紀氏が務めている。

Kansai

古代、日本の都は頻繁《ひんぱん》に変わっていた！

京都人の強固ともいえるプライドは、平安京が源泉となっている。７９４年から幕末まで１０００年以上も日本の都でありつづけたのだから、無理もないといえよう。しかし平安京まで、日本の都は頻繁《ひんぱん》に変わるものだった。

仁徳天皇の高津宮や反正《はんぜい》天皇の丹比柴籬宮《たじひしばがきのみや》など、大阪に宮が構えられたという伝承も残るが、その多くは奈良県におかれた。

特に飛鳥《あすか》（現明日香村）の地は、５９２年に推古《すいこ》天皇が建てた豊浦宮以降、新宮の小墾田宮《おはりだのみや》、舒明《じょめい》天皇の飛鳥岡本宮《あすかのおかもとのみや》、皇極《こうぎょく》天皇の飛鳥板蓋宮《いたぶきのみや》のように、皇居の造営が連続している。

しかし、６４５年の乙巳《いっし》の変で蘇我一族が中大兄皇子《なかのおおえのおうじ》一派に滅ぼされると、６５２年に飛鳥から難波の地への遷都が決定。これが現在の法円坂《ほうえんざか》一帯にあった難波宮《なにわのみや》（難波長柄豊碕宮）だ。

その難波宮も火災による焼失で６５５年に飛鳥へ再遷都。６６７年には天智《てんち》天皇が近江大津宮に移したが、壬申《じんしん》の乱に勝利した天武《てんむ》天皇により５年後に再び飛鳥に遷都されている。これが飛鳥浄御原宮《あすかのきよみはらのみや》で、最後の飛鳥遷都となる。

天武天皇は676年頃より新都建設構想を打ち立てたが、完成前に崩御。持統《じとう》天皇により694年に完成した都が藤原京である。奈良県橿原《かしはら》市に位置した都は、唐の長安（洛陽説あり）を参考にした日本初の計画都市だ。

ただ、人口集中と藤原氏の進言などで、藤原京は16年で廃止が決定。そこで新たに造営されたのが平城京だ。

新都建設は708年より始まり、わずか1年半後の710年に遷都は実行に移された。この時点だと都は未完成であったが、それでも784年の長岡京遷都まで74年も使われた。

しかし、その間に遷都されなかったわけではない。761年には近江保良宮に1年間だけ遷し、聖武《しょうむ》天皇の時代には恭《く》仁京《にきょう》（京都府木津川市）、再建した難波宮、紫香楽宮《しがらきのみや》（滋賀県甲賀市）と3度も変わり、結局は平城京に帰ってきている。

そして784年に長岡京に遷都するの

奈良・京都の主な都

だが、この都も10年しか使われていない。政争で死んだ早良《さわら》親王の祟《たた》りを桓武《かんむ》天皇が恐れたためだともいわれている。

これによって葛野の地に建てられたのが平安京だ。ただ、1180年には平清盛によって福原（現神戸市）に遷都されている。

とはいえ期間は、わずか半年。その後、源頼朝の挙兵に対応するため安徳《あんとく》天皇は平安京に戻り、清盛が死去して木曽義仲の軍勢が京都に迫ると平家一門とともに西国へ逃れる。そして1185年に、満6歳の安徳天皇は壇ノ浦《だんのうら》に沈んだのである。

Kansai

大阪・長居公園の驚きの前身は？

日本の公営ギャンブルは、競馬、競輪、競艇とオートレースだ。ただ、オートレース場は5か所しかなく、埼玉県の川口オートレース場、群馬県の伊勢崎オートレース場、静岡県の浜松オートレース場、山口県の山陽オートレース場、福岡の飯塚オートレース場だけ。関西には全く存在しない。

だが、かつては全国に11か所も存在し、そのうちの1つが大阪市内にあったこともある。

オートレース場があったのは大阪市東住吉区。現在の長居公園がある場所だ。1948年、大阪府は大阪市などと共同で公営ギャンブル場の建設を決定する。目的は戦災復興の促進である。

まずは長居競馬場がオープンし、2年後に大阪中央競輪場が隣接された。そして1951年11月に、長居オートレース場が開場した。ただ、当初は独立した会場となる予定だったが、予算不足のため競馬場の敷地を間借りする形となっていた。

府と市は、競馬、競輪、オートレースの相乗効果による経済の活性化を狙ったようで、実際、競馬場と競輪場は好調だった。しかし、オートレースの初回平均売り上げは、運営が想定した約3分の1程度。翌年1月におこなわれたレースでも、業績が回復することはなかった。

売り上げ不振の理由には、オートレースという競技が日本ではマイナーだったことや当時の国産オートバイが低性能で、故障や事故が多発したことが挙げられる。また、騒音問題で周辺住民からの苦情も相次ぎ、結局は1952年4月のレースを最後に会場は閉鎖。長居競馬場は1959年、大阪中央競輪場も62年に廃止され、現在は長居スタジアムを中心とする公園として整備されている。

また、兵庫県にもかつてはオートレース場が存在した。園田オートレース場と甲子園オートレース場だ。園田オートレース場は、芦屋に建設予定の会場（のちに計画中止）のつなぎとして1951年に開設。長居と同じく競馬場の施設を流用したが、売れ行き不振と競馬場からの苦情で2年後に廃止となる。

これを移転する形で同年に開設したのが甲子園のレース場だ。しかしこちらも売り上げが伸びず、1955年に廃止。以後は関西にオートレース場が開かれることはなかった。

なお現在、関西の公営ギャンブル施設は、競馬は京都競馬場、兵庫県の阪神競馬場、姫路競馬場、園田競馬場、競輪は京都向町競輪場、奈良競輪場、大阪の岸和田競輪場、和歌山競輪場、競艇はびわこ競艇場、大阪の住之江競艇場、兵庫の尼崎競艇場がある。

Kansai

尼崎の市外局番は、なぜ「06」なのか

尼崎市は人口約45万人を有する兵庫県では第4位の都市であり、中核市にも指定されている。ただ、関西圏以外の人には、大阪府なのか兵庫県なのかが曖昧な人も多いだろう。

大阪と神戸の間にあるのだから阪神地域には違いないが、西宮市や芦屋市のようなオシャレな印象はない。どちらかといえば、隣接する大阪市西淀川区や淀川区に近い工業都市のイメージがある。しかも、旅行先などで出身地や住所を聞かれたとき、「大阪のほう」やずばり「大阪から」と答える人がいるという。

「武庫《むこ》川（西宮市との境）越えたら、なんや雰囲気違うわ」

そんな声も、尼崎市民からは聞かれるのだ。

実際、1896年には当時の尼崎町などで兵庫県から大阪府への管轄換え運動も起こり、1941年に打ち出された大阪市域拡張構想の3案すべてでは尼崎市もふくまれていたという過去もある。

また、尼崎市と大阪市の関係で着目したいのは、電話の市外局番だ。大阪市は「06」で尼崎市も「06」。これは1893年に、尼崎紡績《ぼうせき》（現ユニチカ）が大阪局から自費で電話線を引いたことを始まりとする。

当時は、まだ尼崎に電話は通じていなかった。やがて尼崎市に尼崎局が誕生するも、大阪市に本社や取引先の多い尼崎の工場や企業は、こぞって大阪の淀川局から電話線を引く。

その頃は市外に電話をかける際、交換手を通す必要があったため手間が省け、また料金も安くつくというメリットがあったからだ。

そして太平洋戦争後の復興期、市南部にあった尼崎電話局は何度も水害を受け復旧が遅れる。待ちきれないのが、電話を業務上の重要な通信手段とする企業や工場だ。ここでも次々に自費での電話回線が引かれ、当時の企業は尼崎局と淀川局の2つの電話番号をもっていたところが多かったという。

そして1954年に市外局番が適用されると、尼崎市は日本電信電話公社（現NTT）に、工事費の一部として約2億円の電信電話債券を引き受ける。代わりの条件として、大阪市と同じ市外局番になったのである。

阪神間であっても阪神モダンな雰囲気はなく、兵庫県でありながら大阪市との関係が深い尼崎。大阪市への通勤率が約21パーセントと低いので奈良や和歌山のような意味の「府民」ではないが、「大阪府尼崎市」と間違われても「まあ、ええんちゃう」と納得する市民も多そうだ。

Kansai

「アメリカ村」は大阪より和歌山が本家？

関西随一のファッション街として有名で、大阪に来た修学旅行生のコースにも入ることがある「アメリカ村」、略称「アメ村」。もともとは1970年代に家賃の安い倉庫を改装し、若者たちがアメリカの輸入品を扱い始めたことを名前の由来とする。

そのため、今はアメ村の中心となっている「三角公園」も、当時はブランコやすべり台のある普通の公園だった。

ちなみにアメ村の近くには「ヨーロッパ通り」という場所もある。正式名称は周防町通だが、80年代後半にはオシャレな外観のビルが多かったために名づけられた。現在は、さほどでもなくなったが——。

このアメ村以外にも、関西にはアメリカ村と呼ばれる地区がある。それは和歌山県だ。

和歌山のアメリカ村は、日高郡美浜町《みはま》を中心とする三尾《みお》地区（旧三尾村）の愛称だ。若者向けの賑やかな大阪とは違い、山々と海に囲まれたのどかな町である。この地区がアメリカ村と呼ばれ出したのは、明治時代の移民が関わっている。

江戸時代までの三尾村は漁村として栄えていた。だが明治時代に入ると、大阪の漁師による乱獲で漁獲量が激減し、村は貧困に陥ってしまう。

そんなとき、村出身の大工・工野儀兵衛は、カナダに大量のサケがいるという噂を耳にし、1888年に数人の村民を連れてカナダに渡航した。現地で大量のサケを目《ま》の当たりにした儀兵衛が、その様子を手紙で村に伝えると、ほかの漁師も次々にカナダへと渡っていったのだ。

当初は出稼ぎが主流だったが、次第に現地で定着する村人も増加した。一説によると、明治初期から大正時代までに約３０００人がカナダに渡ったという。彼らの送金で村は次第に潤い、豪華な家屋も増えていく。洋風テイストの家屋も立ち並び、帰国した村人によって欧米文化も根付いていった。食事はパン食、服装は洋装、言葉も英語交じりになったという。

そんな異国情緒にあふれた村を見た外部の人々は、三尾村とその一帯をアメリカ村と呼び始めたという。

カナダへの移民なのにアメリカ村と呼ばれた理由は諸説ある。「太平洋戦争後にアメリカ軍が進駐したから」ともいうが、大正時代には名称が定着していたらしい。そのため、「当時の日本人はカナダとアメリカの区別が曖昧だったから」とする説も根強い。

いずれにせよ、歴史上では大阪より和歌山のアメリカ村のほうが先なのだ。ただ、和歌山のほうは「アメ村」と略さない。

昭和以降は都市部への人口流出と高齢化問題もあり、当時の和洋折衷の家屋はほとんどが失われた。しかし現在では歴史と環境を活用した町おこしも盛んで、当時の文化と暮らしを展示する「カナダミュージアム」などの施設もオープンしている。

Kansai

京都府なのに、大阪府との合併を希望した村

日本ではこれまで、1888年から89年までの「明治の大合併」、1956年から61年までの「昭和の大合併」、1999年から2010年までの「平成の大合併」という、大規模な市町村合併がおこなわれてきた。

これらの大合併からは期間は外れているが、大阪府では1967年に布施《ふせ》市、河内市、枚岡《ひらおか》市が合併して東大阪市が誕生している。

市町村の合併は同じ都道府県内の自治体によるものが多く、その境を越えた合併は「越境合併」とも呼ばれている。全国にも数例が存在し、大阪府が京都府から府境を越えて自治体を受け入れたこともある。それが旧京都府樫田村《かしだむら》である。

樫田村は京都府の南西部に位置し、大阪府高槻市に接していた。そんな樫田村が属する南桑田郡《みなみくわだぐん》には18の町村があり、1953年に町村合併促進法が施行された際、多くは相互に合併して、唯一の町であった亀岡町を市に昇格させようとする。

しかし、樫田村は亀岡市ではなく、高槻市への編入を要望したのだ。

樫田村が高槻市への編入を希望した理由は、江戸時代に高槻藩の所領がこの地区に及んでいたこと、村の中心が分水嶺《ぶんすいれい》である登尾峠《のぼりおとうげ》より高槻市寄りにあること、再三水害に襲われても京都府が冷遇したことなどが挙げられる。

ただ、亀岡町から樫田村へ合併の誘致がなかったわけではない。亀岡町は同じ南桑田郡の自治体が合併しての市制を望んでいたからだ。だが、亀岡町からの呼びかけに対し、合併への可否を決定するため樫田村全戸に調査をおこなったところ、高槻市への希望が圧倒的に多かった。

これを受けて樫田村では高槻市への合併を目指す方針を決定し、１９５４年に高槻市へ合併を申し入れたのだ。

翌年1月、樫田村と篠《しの》村をのぞく南桑田郡16町村が合併して亀岡市が誕生。篠村は4年後に編入される。樫田村は同年2月に高槻市と大阪府の富田《とんだ》町、三箇牧《さんがまき》村との合併協定書に調印し、京都府議会に高槻市合併請願書を提出。１９５７年3月には高槻市合併特別委員会を設置し、全村こぞって高槻市編入を希望するとの回答を得た。

同年10月、高槻市議会が樫田村合併の意志を決定し、京都府議会も12月に現地視察をおこなって合併へ向けて進み始め、翌年2月は京都府会総務委員会が樫田村からの合併請願書を採択している。

その後、樫田村議会と高槻市議会が、それぞれ正式に編入議案を議決して大阪府と京都府へ合併の申請をおこない、3月に京都府議会と大阪府議会が越境合併を議決。内閣総理大臣へ申請し4月に許可を得て樫田村の全域が高槻市に編入された。

現在、高槻市の樫田支所の前には樫田村合併記念碑が設置され碑文には「その実現は困難を極めたが驍迎側の協力で遂に内閣総理大臣の認可を得」との記載がある。

◉左記の文献等を参考にさせていただきました――

『すごいぞ！私鉄王国・関西』黒田一樹、『すごいぞ！関西ローカル鉄道物語』田中輝美（以上、140B）／『定版 天ぷらにソースをかけますか？ ニッポン食文化の境界線』野中泰申（新潮社）／『2023年版大学ランキング』白石圭他編集、『江戸500藩全解剖』河合敦（以上、朝日新聞出版）／『こんなに面白い！近鉄電車100年』寺本光照（交通新聞社）／『あなたの知らない近畿地方の名字の秘密』森岡浩（洋泉社）／『意外と知らない〝上方〟の歴史を読み解く！ 大阪「地理・地名・地図」の謎』谷川彰英監修、『意外と知らない兵庫県の歴史を読み解く！ 兵庫「地理・地名・地図」の謎』先崎仁監修、『意外と知らない和歌山県の歴史を読み解く！ 和歌山「地理・地名・地図」の謎』寺西貞弘監修（以上、実業之日本社）／『47都道府県・こなもの食文化百科』成瀬宇平（丸善出版）／『外から見えない暗黙のオキテ 関東のしきたり関西のしきたり』話題の達人倶楽部編（青春出版社）／『地元に行って、作って、食べた 日本全国お雑煮レシピ』粕谷浩子、『爆笑！ いまどきの県民性』日本博学倶楽部、『関東人と関西人 二つの歴史、二つの文化』樋口清之、『日本史の謎は「地形」で解ける』竹村公太郎（以上、PHP研究所）／『日本全国「葬送儀礼」大事典 都道府県別の葬儀の慣習・風習・マナー』ｏ４ｏ７（自費出版）／『日本の苗字』歴史読本編集部編、『食は「県民性」では語れない』野瀬泰申、『平城京誕生』吉村武彦他（以上、KADOKAWA）／『名字でわかるあなたのルーツ〜佐藤、鈴木、高橋、田中、渡辺のヒミツ〜』森岡浩（小学館）／『名門大学シン序列』林哲夫他編（東洋経済新報社）／『「県民性」がわかる！おもしろ歴史雑学』三浦竜&日本史倶楽部、『関東と関西 ここまで 違う！おもしろ雑学』ライフサイエンス（以上、三笠書房）／『千葉の教科書』エイジャ他編（JTBパブリッシング）／『47都道府県あなたの金銭感覚は？ 県民性の謎がわかる本』山下龍夫（幻冬舎）／『「こなもん」庶民の食文化』熊谷真菜（朝日新聞出版）／『京都の食文化 歴史と風土がはぐくんだ「美味しい街」』佐藤洋一郎、『藤原京 よみがえる日本最初の都城』木下正史（以上、中央公論新社）／『世界遺産　百舌鳥・古市古墳群をあるく』久世仁士（創元社）／『訪れやすい全国の古墳３００　古墳図鑑』青木敬（日本文芸社）／『鉄道まるわかり０１５　南海電気鉄道のすべて』『鉄道まるわかり００３　阪急電鉄のすべて』「旅と鉄道」編集部編（天夢人）／『日経プレミアシリーズ　地形で読む日本』金田章裕（日本経済新聞出版本部）／『平城京全史解読』大角修（学研パブリッシング）／『オールカラー　地図と写真から見える！　京の都　歴史を歩く！』川端洋之（西東社）／『地図で読み解く関西のことば』岸江信介・中井精一編（昭和堂）／『講座方言学７近畿地方の方言』飯豊毅一・日野資純・佐藤亮一編（国書刊行会）／『関西方言の社会言語学』徳川宗賢・真田信治編（世界思想社）／『彦根ことばとその周辺』安井二美子、『ええほん　滋賀の方言手控え帳』中山敬一（以上、サンライズ出版）／『ひょうごの方言』橘幸男（神戸新聞総合出版センター）／『関西弁講義』山下好孝（講談社）／『日本列島方言叢書14近畿方言考②（三重県・和歌山県）』井上史雄・小林隆・大西拓一郎編、『日本列島方言叢書15近畿方言考③（滋賀県・京都府）』井上史雄・篠崎晃一・小林隆・大西拓一郎編、『日本列島方言叢書17近畿方言考⑤（兵庫県）』井上史雄・篠崎晃一・小林隆・大西拓一郎編（ゆまに書房）／『名門高校１００』猪熊建夫（小社）

【ＷＥＢ】三重県ＨＰ／大阪府ＨＰ／京都府ＨＰ／和歌山県ＨＰ／滋賀県ＨＰ／兵庫県ＨＰ／奈良県ＨＰ／文化庁ＨＰ／農林水産省ＨＰ／文部科学省ＨＰ／総務省統計局ＨＰ／日本経済新聞電子版／朝日・日刊スポーツ／産経新聞電子版／東洋経済オンライン／神戸新聞ＮＥＸＴ／京都新聞電子版／Ｙａｈｏｏ！ニュースオリジナル／ラジオ関西トッピクス／帝国データバンクＨＰ／同志社女子大学ＨＰ

KAWADE
夢文庫

大阪 京都 兵庫 奈良 滋賀 和歌山
関西2府4県 キャラも違えば常識もバラバラ。

二〇二三年七月三〇日　初版発行

著　者…………博学こだわり倶楽部[編]
企画・編集……夢の設計社
東京都新宿区早稲田鶴巻町五四三〒162-0041
☎〇三―三二六七―七八五一（編集）
発行者…………小野寺優
発行所…………河出書房新社
東京都渋谷区千駄ヶ谷二―三二―二〒151-0051
☎〇三―三四〇四―一二〇一（営業）
https://www.kawade.co.jp/
装　幀…………こやまたかこ
印刷・製本……中央精版印刷株式会社
DTP…………アルファヴィル
Printed in Japan ISBN978-4-309-48599-7